Le garçon dans le chêne

Fredrik Ekelund

Le garçon dans le chêne

traduit du suédois par Philippe Bouquet

roman

GAÏA ÉDITIONS

Les dialogues de cet ouvrage font souvent intervenir, en particulier sur le plan phonétique, des éléments de dialecte scanien qu'il est évidemment impossible de rendre en traduction française.

Gaïa Éditions
82, rue de la Paix
40380 Montfort-en-Chalosse
téléphone : 05 58 97 73 26

contact@gaia-editions.com
www.gaia-editions.com

Titre original :
Pojken i eken

Illustration de couverture :
© plainpicture / Millennium / Tim Kavanagh

ISBN 13 : 978-2-84720-214-4

« Je ne juge pas, je ne jugerai plus personne. »
Georges Simenon, *Lettre à mon juge*

6 septembre

– Qu'est-ce que tu entends par « chatte publique[*] » ?

L'inspecteur Hjalmar Lindström scruta le visage de l'adolescent qu'il avait devant lui. Il était blond, avait les cheveux courts et portait un T-shirt arborant sur le devant un doigt pointé en l'air et dont les manches avaient du mal à contenir deux gros biceps. Ses yeux bleus braquaient vers lui un regard hostile.

– Ce que je vous dis. Une chatte qu'est à tout le monde.

– Mais encore ?

– Qui baise avec n'importe qui.

– Comment le sais-tu ?

– Je le sais.

– Comment ?

– Y a qu'à écouter ce qu'on dit.

– Qui ça ?

– Les copains.

– Qu'est-ce que tu faisais, samedi soir ?

– J'étais chez des potes à moi.

– Et alors ?

– On a sifflé un peu de gnôle, maté des films, ce genre de trucs, quoi.

– Où ça ?

– Dans Roskildevägen.

– Chez qui ?

– Pidde.

– Qui c'est, Pidde ?

– Peter Lundström, un copain.

– Pas loin de Pildammsparken, donc.

– Ouais...

– À quelle heure es-tu rentré chez toi ?

---

[*] Curieusement, l'argot suédois désigne par « souris » ce que le français entend par « chatte », ce qui permet un jeu de mots intraduisible avec « chauve-souris ». *(Toutes les notes sont du traducteur.)*

– Je me souviens pas. J'étais pas très frais. Vers quatre ou cinq heures.

– Tu étais avec quelqu'un ?

– Ben non, j'avais pas de compagnie.

Dans l'esprit de l'inspecteur, cette façon de s'exprimer évoquait la campagne et, plus précisément, la côte est de la Scanie et ses champs de colza s'étendant à perte de vue. Il ne put s'empêcher de s'en assurer.

– D'où es-tu originaire ?

– D'ici, tiens ! Je suis pas un foutu Bosniaque, moi.

– Et tes parents ?

– Mon vieux est de Svedala, ma vieille de Håsslöv. Pourquoi ça ?

– Pour rien. Tu as traversé le parc ?

– Non.

– Et tu n'as rien vu, rien entendu de ce côté-là ?

– Rien. Mais j'étais complètement paf, je l'ai déjà dit.

– Tu n'ignores pas que Yasmina a été tuée dans ce parc dans le courant de la nuit.

– Hum…

– Et tu n'es pas entré à Slagthuset* ?

– J'ai rien à y foutre. Y a que des bougnoules, là-bas.

– Quand tu parles de « baiser avec n'importe qui », est-ce que ça veut dire que toi aussi…

– P't-être bien que oui.

– Réponds à la question. On ne plaisante pas ici, je te préviens.

L'attitude à la fois butée et arrogante de Niclas Hjälm irritait fortement Lindström, qui eut fortement envie de faire du petit-bois de la boule de muscles paradant devant lui.

– As-tu couché avec elle, oui ou non ?

L'adolescent rougit légèrement, ce qui ne fit que rehausser encore un peu la blondeur de ses cheveux.

– Non.

– As-tu eu une relation sexuelle d'un genre ou d'un autre avec elle ? Tu as dit qu'elle « suçait bien ». Tu parles peut-être d'expérience ?

Cette fois, la rougeur gagna l'ensemble du visage de ce garçon de dix-huit ans.

---

* Ancien abattoir reconverti en gigantesque night-club très populaire parmi les jeunes.

– Non.

– Elle l'a peut-être fait à un de tes copains ?

– Possible.

– Mais tu n'en es pas sûr.

– Non.

– Quand est-ce que tu l'as fait pour la première fois, toi ?

– Qu'est-ce que ça peut foutre…

– Ici, c'est moi qui pose les questions.

– L'année dernière.

– Avec qui ?

– Je le dirai pas. Pas avec la chatte publique en tout cas.

– Tu as déjà « baisé avec n'importe qui » ?

– P't-être bien un peu.

– Ça te convient ?

– Je m'en fiche. Qu'est-ce que vous voulez savoir ?

– Tu fais de la musculation ?

– Oui.

– Tu sais peut-être qu'il y a un docteur, à Gamla Väster, qui peut te la rallonger pour trente mille le centimètre.

Le visage de Niclas Hjälm luisait de sueur et exprimait un mélange de haine et de peur. La seule chose dont il se souvenait, avant que le noir se fasse en lui, était de lui avoir envoyé un SMS. Un peu cochon.

– Es-tu conscient de lui avoir expédié un SMS vers minuit et de l'avoir appelée une heure après ?

– P't-être bien.

– Bon, j'en ai marre. Salut Niclas.

Pour sa part, il en avait assez de cet inspecteur, lui aussi, et ne demandait qu'une chose : pouvoir rentrer chez lui. Mais le pire, c'était de se dire que cela pouvait très bien être lui. Il ne se rappelait presque rien, sinon de s'être réveillé dans un buisson, non loin du stade, sur le coup de cinq heures. Il se gardait pourtant bien de le dire. Hjalmar Lindström le fixait sans prononcer un mot, en comptant les secondes. Deux. Trois. Quatre. Cinq. Le silence ne faisant qu'épaissir, il décida de porter l'estocade.

– Est-ce que tu étais amoureux d'elle, Niclas ?

La carapace se fissura. Non pas dans un grand bruit, ni même un cri, mais avec des larmes qui se mirent à couler l'une après l'autre de ses yeux pleins de haine et finirent par ruisseler le long de ses joues brûlantes.

– Elle ne voulait pas de toi, hein ?

– Qu'est-ce que ça peut foutre… maintenant ?

Première partie

5 septembre

Hjalmar Lindström se plaça au départ du quinzième trou du club de golf de Flommen. Le ciel était dégagé et une odeur de varech et de fin d'été était encore perceptible au milieu de la verdure. Au loin, un héron prenait majestueusement son envol au-dessus de l'un des étangs de la réserve naturelle et survolait le parcours en se dirigeant vers les cabines de bain, qui éclairaient la journée de leurs vives couleurs. Dès six heures et demie, sur le parking, il avait senti que ce serait un de ces jours trop beaux pour être vrais. Le tableau qui s'offrait à lui était si magnifique qu'il aurait aimé disposer d'une lame de couteau pour en crever la toile. Sa réussite, sur le terrain, accrut encore ce sentiment et le birdie du quatorze lui inspira l'espoir de rendre une bonne carte. Ce qui le mettrait en position favorable pour remporter le tournoi de golf annuel de la police de Scanie.

Mais l'odeur de victoire suscita aussitôt de plus sombres pensées et la peur d'un raté de grande ampleur l'envahit, juste avant de décocher son coup. Résultat : il frappa la balle avec le col du club et, irrémédiablement slicée, elle partit en rase-mottes et échoua dans les roseaux du ruisseau bordant le quinze. Sans se démonter, il en sortit une nouvelle de sa poche, la posa sur un tee et la percuta de toutes ses forces, comme pour la punir. Mais il la coupa trop, cette fois, et, après avoir décrit un arc de cercle de cauchemar, elle atterrit dans l'un des jardins situés derrière l'allée cavalière et les piquets blancs délimitant le terrain. La « catastrophe » qu'il avait pressentie – et peut-être provoquée en l'imaginant – était un fait accompli et, pour empirer encore un peu la situation, délibérément, il sortit une troisième balle. Animé d'une sainte colère, il effectua son meilleur drive de la journée. La balle s'éleva dans le ciel bleu clair de septembre et survola tout le fairway en décrivant une longue et belle trajectoire, avant de retomber dans le minuscule trou d'eau que le sadique qui avait conçu ce parcours avait placé à l'endroit précis où risquaient d'atterrir les coups vraiment trop appuyés.

15

Ses derniers espoirs tombaient à l'eau, au sens propre comme au figuré, et, lorsqu'il descendit de l'emplacement de départ, il faisait plus penser à un condamné à mort qu'à un sportif d'âge mûr. Furieux contre lui-même, il ne comprenait pas pourquoi il s'obstinait à pratiquer ce « foutu sport » et s'était inscrit à ce « tournoi débile », pas plus que cette rage qui flambait soudain en lui. À pas lents, il gagna la mare dans laquelle la balle avait disparu et, au moment où il s'apprêtait à la dropper pour frapper son septième coup, son portable se mit à sonner.

Le bruit eut un effet sédatif sur son humeur massacrante. Le boulot l'appelait. Il appuya sur la touche sans penser une seconde que ce geste risquait de l'entraîner vers d'autres sortes de devoirs. La journée était foutue, de toute façon, pensa-t-il.

– Excuse-moi de te déranger, dit le commissaire Jönsson, mais Hallbäck et Magnusson sont en congé de maladie et Andersson doit aller prêter la main à Kristianstad. On a un meurtre sur les bras, j'en ai peur.

– Quel genre ? demanda Lindström, soulagé d'entrevoir un prétexte pour se défiler honorablement.

– On a trouvé le cadavre d'une jeune femme dans Pildamms-parken, ce matin.

– J'arrive dans une demi-heure, dit Hjalle* en mettant fin à la communication.

Il expliqua aux autres compétiteurs ce qui se passait et se dirigea à grands pas vers le club-house. Arrivé près du seize, il cassa sa Grosse Bertha** en deux et, d'un geste théâtral, en jeta les morceaux dans le bassin clôturé qui s'ouvrait, telle une gueule béante, derrière le green.

Plus jamais de golf, pensa-t-il en traversant Falsterbo au volant, en direction de Malmö. Cette matinée n'avait fait que confirmer tristement ce qu'il « disait toujours », à savoir : le golf n'est pas un jeu de société, c'est une guerre qu'on se livre à soi-même.

---

* Diminutif de Hjalmar.
** Nom donné au plus gros des drivers, qui permet les coups de départ les plus puissants.

De loin, il vit un groupe de gens massés derrière le ruban délimitant le périmètre de sécurité. La presse était déjà sur les lieux, ainsi que Monica Gren, la stagiaire qu'il allait avoir à ses côtés pendant deux mois. Peo*, chargé des affaires criminelles dans l'un des journaux de la ville et l'un de ses plus vieux amis, le salua tristement de la tête en le voyant ralentir le pas. Il sentit qu'il était en train d'endosser son rôle professionnel, avec tout le sérieux et le travail de réflexion et d'imagination que cela impliquait, comme s'il changeait mentalement de vêtements. Et, quand il se retrouva devant le corps inerte de la jeune femme, on aurait eu du mal à croire que c'était le même homme qui, quarante-cinq minutes plus tôt, s'était comporté en adolescent gâté sur l'un des terrains de golf de la presqu'île de Falsterbo.

Deux agents de la Scientifique examinaient le cadavre et les environs immédiats. Hjalle s'avança à pas prudents vers le cadavre, en suivant pour cela le chemin qu'on lui indiquait. La victime avait environ dix-huit ans. Elle gisait à plat ventre, légèrement sur le côté, la tête rejetée en arrière sous un angle qui n'avait rien de naturel. Le déclic d'un appareil photo se fit entendre, derrière le ruban. Les charognards sont à l'œuvre, eut-il le temps de penser en s'accroupissant. La jeune fille avait un beau visage encadré de longs cheveux noirs et raides, et il ne put s'empêcher de remarquer la longueur et la beauté de ses cils, également. Les seules preuves qu'elle n'était pas seulement en train de dormir étaient sa nuque brisée et le silence total qui régnait.

Le soleil perça l'abondant feuillage et ses rayons vinrent caresser le visage de la victime, rehaussant sa beauté. Une mince veste en lambeaux gisait sur le sol, près d'elle. Sous son haut de couleur noire, on pouvait voir le piercing de son nombril, au-dessus d'une jupe noire elle aussi. Celle-ci n'était pas boutonnée, comme si elle venait de l'enfiler et avait oublié de l'attacher. Aux mains, elle portait des gants, toujours de couleur noire mais transparents, laissant voir plusieurs bagues dorées qui brillaient au soleil. Il lui manquait une chaussure.

– Alors ? demanda-t-il à Lennart Nilsson, l'un des techniciens les plus expérimentés de la Brigade criminelle départementale.

---

* Diminutif de Per-Olof.

– Ça sent le viol à plein nez, répondit celui-ci à voix basse, pour que cela ne sorte pas du périmètre. Un putain de viol très banal, qui a mal tourné. On peut dire qu'elle a été foutrement assassinée.

– Des traces de lutte ?

– Plusieurs. Sur le chemin, depuis le parking du pavillon Margareta. Des branches brisées, un sac à main et son autre chaussure.

– Et sous les ongles ?

– Elle portait ces gants-là, si on peut appeler ça ainsi. Alors, il faudra voir ça plus tard.

– Depuis combien de temps est-elle là ?

– Difficile à dire : sept ou huit heures, peut-être.

– Qui est-ce qui l'a trouvée ?

– Le joggeur, là-bas.

Nilsson désigna un jeune homme en short bleu et T-shirt noir en train de parler à Peo, qui notait ses propos avec zèle. Monica vint tendre à Hjalle une carte d'identité dont la photo était apparemment celle de la jeune femme gisant sur le sol.

– Yasmina Saïd.

– Elle habite au numéro 18 de Sörbäcksgatan.

– À Kroksbäck, donc, marmonna Hjalle.

– Elle est – enfin, je veux dire : elle était – en terminale littéraire.

Hjalle observa une nouvelle fois le cadavre et eut le sentiment que la jeune fille s'était trouvée face à une force très violente, une sorte de trombe qui l'avait projetée en l'air, contre un arbre, avant de lui ôter la vie.

Lorsqu'ils s'apprêtèrent à partir, la foule était devenue de plus en plus dense, derrière le ruban, et Hjalle dut demander aux badauds de s'écarter pour qu'ils puissent passer. Quoi de plus fascinant qu'un cadavre, en effet ? Pourquoi ne pas organiser une exposition, pour battre tous les records de visites au musée, pensa-t-il non sans amertume. Venez voir : des femmes violées, éventrées, découpées en petits morceaux ! Qu'on se le dise !

– Qu'est-ce que tu en penses ? lui demanda Peo.

Il avait l'impression qu'ils se connaissaient depuis une éternité. Ils étaient en effet allés à l'école ensemble et se retrouvaient souvent, même si les supérieurs du policier ne le voyaient pas d'un bon œil fréquenter un journaliste qui ne ménageait pas ses critiques envers les forces de l'ordre, de quelque nature qu'elles soient.

Hjalle regarda Monica Gren.

– Je te présente Per-Olof Lindgren, journaliste spécialisé dans les affaires criminelles. S'il y a quelqu'un à qui il ne faut jamais rien confier, c'est à lui. Il est capable de faire une montagne d'une taupinière. Tiens-le-toi pour dit, ajouta-t-il avec l'esquisse d'un sourire.

Peo serra la main de Monica avant de regarder Hjalle, comme s'il attendait une réponse à sa question.

– Aucune idée. On verra ça demain.

– Ce sera trop tard, tu le sais bien.

– Écris ce que tu veux. C'est ce que tu fais toujours, d'ailleurs, non ?

– Mais c'est bien un viol, hein ?

– Sans commentaire, c'est plus prudent.

– C'est pas ce qu'a dit Nilsson ?

– Viens Monica, il est l'heure.

Il regarda le journaliste dans les yeux avant de se diriger vers sa voiture, accompagné de la jeune stagiaire. À côté de lui, elle paraissait toute petite, et en voyant les deux policiers disparaître entre les arbres, Peo eut l'impression qu'il avait devant lui un père en balade avec sa fille adolescente.

Il était maintenant face à ce qu'il connaissait de pire, dans le cadre de son travail d'inspecteur de la police criminelle, et c'était pourquoi il était heureux d'avoir cette stagiaire à ses côtés. Monica Gren faisait preuve d'un esprit vif et possédait un certain humour. Elle avait des yeux vifs et intelligents, et passait pour avoir effectué de brillantes études à l'École Supérieure de Police. Hjalle l'avait prise pour une petite Coréenne, la première fois qu'il l'avait vue. Mais nul ne savait ce qu'il en était exactement et personne n'avait posé la question. Lui non plus.

Ils étaient en route pour Sörbäcksgatan dans leur voiture de fonction.

– Ça t'est arrivé souvent, d'aller prévenir la famille ?

Pour la première fois depuis ses débuts à la Criminelle, il eut le sentiment d'être plus expérimenté que celui ou celle qu'il avait près de lui. La question que Monica venait de lui poser était en effet de celles dont il abreuvait lui-même son entourage, à ses débuts.

– Souvent… je ne sais pas si on peut vraiment dire ça. Une vingtaine de fois, peut-être.

– Quel effet ça fait ?

– C'est toujours aussi pénible, pour sûr, peu importe comment on s'y prend. Tout peut arriver et c'est ça le plus moche : ne pas savoir ce qui va se passer. Et toi, qu'est-ce que tu penses de Malmö ? demanda-t-il pour changer de sujet.

– C'est très plat, répondit-elle avec un sourire. Et puis j'ai un peu de mal à comprendre les gens, avec leur accent scanien. Mais, par ailleurs, c'est parfait. On ne s'embête pas, en tout cas.

– Où est-ce que tu habites ?

– Simrishamnsgatan.

– Aïe, laissa-t-il échapper.

– Pourquoi ?

– Pour rien. Mais c'est vrai que tu ne risques pas de t'embêter, par là-bas.

– Et alors ? Quel mal y a-t-il à ça ?

Elle ne le lâchait pas du regard. Il se sentit très bête et eut l'impression de s'être pris à son propre piège.

– Aucun. Je disais ça comme ça. Möllevången n'est pas vraiment le quartier le plus calme de la ville, ça s'arrête là.

– Je m'y plais bien, tu sais. On peut y trouver des fallafels à n'importe quelle heure, si on en veut.

Il eut l'impression qu'elle souriait de façon légèrement ironique, en disant cela.

– Et toi ? Où habites-tu ?

– Près du Kronprinsen.

– Qu'est-ce que c'est ?

– Le grand immeuble qui est bleu clair en haut et bleu foncé en bas, comme si la peinture avait coulé.

– Je n'avais pas pensé à ça.

– Oh, ça viendra. Tu ne peux pas déjà tout connaître.

Sixième étage. Saïd. Il appuya sur la sonnette et on entendit un bruit de pas à l'intérieur. La porte s'ouvrit et une femme d'un certain âge vêtue d'une longue tunique noire et coiffée d'un foulard blanc le regarda avec des yeux dépourvus d'expression dans un visage aux traits accusés.

– Bonjour, nous sommes de la police criminelle et nous voudrions parler aux parents de Yasmina Saïd.

La femme fut comme pétrifiée. Elle ne répondit pas et se mit soudain à crier quelque chose, sans doute en arabe, pensa Hjalle, vers l'intérieur de l'appartement. Une petite fille aux yeux vifs et éveillés surgit alors sur le pas de la porte.

– C'est pour quoi ?

– Bonjour, nous sommes de la police et nous voudrions parler à la maman ou au papa de Yasmina Saïd.

La fillette dit quelques mots à la femme, qui lui répondit aussitôt. La statue était capable de parler, au moins.

– Ils ne sont pas là. Mais vous pouvez parler à sa grand-mère, si vous voulez. Entrez !

Hjalmar et Monica ôtèrent leurs chaussures* et entrèrent dans la salle de séjour. De beaux tapis de haute laine au motif compliqué couvraient le sol de l'entrée et de la pièce, et une bonne odeur de l'épice favorite de Hjalle, la coriandre, était perceptible. Sur les murs étaient apposées de grandes photos d'une ville qu'il crut identifier comme étant Beyrouth. Sur une commode, il en remarqua une autre, d'Arafat cette fois, et sur un mur était déployé le drapeau palestinien. Ils prirent place sur un canapé de cuir assez bas, tandis que deux jeunes enfants surgissaient de l'une des chambres.

– Mes petits frères, présenta la fillette.

– Peux-tu les prier de retourner dans leur chambre ? lui dit Hjalle.

Elle s'exécuta aussitôt et la femme déposa devant eux deux petites tasses à thé en cuivre très ouvragées, en leur demandant de la tête si elle pouvait les servir. Ils acceptèrent volontiers. En attendant que la fillette revienne de la chambre, Hjalle porta le thé brûlant à ses lèvres. Il attendit qu'elle soit assise pour prendre vraiment la parole.

– Je voulais vous dire que...

Il fut soudain saisi d'un doute : faisait-il bien de continuer ? Mais le sentiment d'urgence, la conviction que des indices

_____

* Pratique courante, dans les pays du Nord, surtout à la mauvaise saison.

21

risquaient de disparaître et le meurtrier de prendre une avance décisive sur eux, le convainquirent.

– ... Yasmina a été retrouvée morte dans Pildammsparken ce matin. Tu veux bien expliquer ça à ta grand-mère ?

Le visage de la fillette se referma comme une coquille sur les pensées et sentiments qu'elle pouvait nourrir, et elle répéta machinalement à sa grand-mère ce qu'elle venait d'apprendre. Hjalle fut mal à l'aise, sur son siège, et Monica gênée, elle aussi, en croyant discerner un sourire sur le visage de la vieille femme. Mais elle ne répondit pas et, au lieu de cela, se dirigea vers le téléphone accroché au mur de la cuisine.

Elle est contente, cette sale bonne femme, pensa Hjalle, en regardant la fillette, qui était restée assise et observait sa grand-mère. L'instant d'après, il entendit la vieille crier dans l'appareil, en tapant alternativement sur ses mains et ses genoux, sans que son visage trahisse le moindre désespoir. Une fois qu'elle eut raccroché, elle se dirigea vers la fenêtre, qui donnait dans la direction de Hyllie et Limhamn. Sauf erreur, elle regardait dans la cour et guettait l'arrivée de quelqu'un.

– Qu'est-ce qui se passe ? demanda-t-il calmement, en cherchant à croiser le regard de Monica, avec le sentiment que le pire était encore à venir.

– Quelqu'un va arriver, répondit la fillette.

– Et le père et la mère de Yasmina ?

– À quatre heures, mais voilà nos cousins, je crois.

Elle eut à peine le temps de terminer sa phrase que des gens commencèrent à s'attrouper à l'entrée. Deux jeunes, une autre vieille femme et un homme d'âge mûr pénétrèrent dans la salle de séjour et s'embrassèrent à qui mieux mieux. On semblait très soulagé de la mort de Yasmina. Les seules à ne pas paraître partager ce sentiment étaient la petite sœur de la victime et une femme dans la trentaine restée dans l'entrée. Son visage était aussi dépourvu d'expression que celui de la fillette. Soudain, les regards se braquèrent sur Hjalle et Monica.

– Où est-ce arrivé ?

C'était un jeune homme d'une vingtaine d'années à la petite moustache noire et aux cheveux courts qui posait cette question à Lindström.

– Dans Pildammsparken. C'est là qu'on l'a trouvée ce matin, en tout cas. Quant à savoir si elle a été tuée à cet endroit, il est encore trop tôt pour le dire. Tout laisse penser qu'elle a été violée puis assassinée.

– Assa… quoi ?

– Tuée, si vous voulez. On lui a brisé la nuque.

Hjalle éleva la voix pour tenter de faire comprendre à la famille la gravité de la situation. En vain. Le jeune homme se retourna avec un sourire satanique vers ses aînés pour leur dire quelque chose que Hjalle, malgré sa totale ignorance des langues sémitiques, ne put interpréter que comme extrêmement méprisant. Et les borborygmes répétés qu'il entendit ne firent que renforcer cette impression. Le jeune se tourna alors vers les deux policiers en s'efforçant de ramener le calme parmi les excités qui l'entouraient.

– Comme vous l'avez sûrement compris, nous sommes très contents. Nous sommes soulagés que cette sale pute, cette créature du diable, ait reçu le châtiment qu'elle méritait.

Deux autres personnes entrèrent dans l'appartement et la fillette qui avait annoncé la nouvelle à sa grand-mère dit à Hjalle :

– C'est papa et maman.

Hjalle tourna les yeux vers l'entrée. Certains se jetèrent sur le père et la mère de Yasmina, les embrassant sur les deux joues, les serrant dans leurs bras et semblant leur prodiguer de bruyantes marques de respect. Hjalle eut plus de mal à interpréter la réaction des parents, qui ne montrèrent ni l'un ni l'autre aucun signe d'affliction ni de satisfaction. La mère paraissait seulement très fatiguée, tandis que le père ne cessait de regarder attentivement autour de lui, comme s'il cherchait quelqu'un. Le garçon à la moustache désigna Hjalle et les parents vinrent se présenter.

– Adi Saïd. Ici ma femme, Isa.

Hjalle et Monica leur rendirent leur salut et ils les prièrent de s'asseoir. Les autres membres de la famille passèrent dans la cuisine, tandis que le père et la mère prenaient place eux aussi.

– Quoi s'est passé ?

– Yasmina a été retrouvée morte, et sans doute violée, dans Pildammsparken.

Le père saisit la main de la mère en regardant vers la cuisine, comme s'il redoutait quelque chose ou en cherchait confirmation. Hjalle était de plus en plus perplexe. Les parents éloignés paraissaient soulagés, tandis que le père et la mère réprimaient leur désespoir. À moins que ? La fillette venue ouvrir la porte grimpa sur les genoux de sa mère, qui se mit à lui caresser les cheveux, le regard vide et absent. Tous trois se tenaient par la main, tandis que le brouhaha ne faisait que croître dans la cuisine.

Ils quittèrent Sörbäcksgatan en silence, incapables de proférer une parole dans la voiture. Soudain, Hjalle se mit à penser à quelque chose d'autre. Ou plutôt à quelqu'un : Jeanette, sa première petite amie, la première fille qu'il ait embrassée. Elle habitait le quartier et il la ramenait à travers la ville, sur le siège arrière de sa Zündapp KS 50 noire, au son de *Stairway to Heaven*. Dans un autre temps, un autre monde, sa mobylette avait plané au-dessus de la cité, telle un zeppelin.

– Merde, lâcha soudain Monica, résumant parfaitement leur sentiment commun.

– Comme tu dis.

Le soir commençait à tomber. Mais, au lieu de rentrer au commissariat, il mit le cap sur Pildammsparken. Il se gara près de Tallriken et ils gagnèrent à pied l'endroit où avait été retrouvé le corps de Yasmina. Deux agents mo ntaient la garde devant le périmètre de sécurité, où il ne se passait plus rien d'intéressant. Hjalle respira à pleins poumons et se laissa tomber dans l'herbe, à bout de forces, imité par Monica. Au-dessus d'eux, l'azur de l'été était encore lumineux. Mais cet endroit où tant d'événements populaires, sportifs et autres, avaient eu lieu était souillé lui aussi. C'était sur cette pelouse en forme d'assiette que des générations d'entraîneurs de l'équipe de foot du Malmö FF avaient torturé leurs joueurs. Et maintenant c'était le théâtre d'un meurtre. « Malmö, la ville des parcs », disait le slogan. Avec un peu de mauvaise volonté, on pouvait y déceler un sens caché. Car où était-on plus à l'abri des regards que dans l'un des poumons verts de la ville ?

– Tu as déjà connu ça ?

– Qu'est-ce que tu veux dire ?

– Eh bien, être face à ce qu'on appelle un crime d'honneur, je crois.

– Comment sais-tu que c'en est un ?

– Je n'en sais rien, mais la réaction de la famille semble l'indiquer, non ?

– C'est possible. Pas impossible, du moins. De toute façon, ce sera dur, je te le garantis.

– Quoi ?

– L'audition des témoins. Comme avec les Hell's Angels. Une secte en vaut une autre. Il faut leur arracher les mots de la bouche avec une clé à molette.

Il ferma les yeux, puis les rouvrit pour suivre la course d'un nuage solitaire fendant le ciel comme un Optimiste les flots. À nouveau, Jeanette et *Stairway to Heaven* lui revinrent à l'esprit. Un seul baiser. Près de la fenêtre de sa cuisine, qui donnait sur le château d'eau, les champs et le jaune beurre du colza. Un seul et unique baiser et puis plus rien. Où es-tu, que fais-tu, maintenant, Jeanette ? eut-il le temps de penser avant que Monica ne tranche le fil de sa nostalgie.

– Tu es sûr qu'ils ont un comportement de secte ?

Il se mit sur son séant, un brin d'herbe au coin de la bouche, et la regarda tristement. L'image de Yasmina refusait de s'effacer de sa mémoire visuelle.

– Il y a sept ou huit ans de ça, avant que l'élite culturelle ne se mette à parler de crime d'honneur…

– L'élite culturelle ?

– Oui, ceux qui croient tout savoir sur tout, répondit-il avec un sourire. On a reçu un appel au secours en provenance de Gymnasistgatan, à Gullviksborg. On est arrivés les premiers, avant même l'ambulance, un collègue et moi, et entrés dans l'appartement. Dans l'une des pièces, un bébé était en train de crier. Dans la salle de séjour, c'était une fillette de dix ans qui tremblait de tous ses membres, totalement bouleversée, en montrant la chambre à coucher. En pénétrant dans celle-ci, on a trouvé la mère qui gisait dans une mare de sang, la gorge tranchée. On a fini par découvrir que c'étaient des Kurdes, la femme voulait divorcer et le couple vivait séparé. Là-dessus, le mari fait irruption dans l'appartement, viole la mère sous les yeux de la fille, qui est couchée dans le même lit qu'eux mais avec un oreiller sur la tête pour ne pas qu'elle voie ou entende. Puis il s'en va, après avoir tué sa femme et menacé sa fille de lui faire subir le même sort si elle dit quoi que ce soit. Un peu plus tard, le même jour, le père est arrêté chez son frère, où divers membres de sa famille sont venus le soutenir.

– C'est vrai ?

– Il est mis en examen pour assassinat mais, peu après encore, le même jour, un cortège nuptial se présente à la porte de la maison d'arrêt pour exiger – je dis bien : exiger – que cet homme soit remis en liberté afin qu'il puisse assister au mariage auquel tous étaient conviés ce soir-là !

Hjalle se releva et brossa les brins d'herbe de son pantalon, sous le regard ébahi de Monica.

– Comment est-ce que ça s'est terminé ?

– Il a été condamné sur la foi du témoignage de sa fille et devant l'accumulation des preuves. Mais huit membres de sa famille sont venus lui fournir un alibi, affirmant qu'il n'avait pas mis les pieds chez sa femme et avait passé la journée chez son frère. Eh oui, c'est comme ça.

Un peu plus tard, ils se retrouvèrent à bord de la voiture, Hjalle avec l'image de Yasmina sur la rétine et sur celle de Monica l'image des Kurdes dont il venait de lui parler.

– Qu'est-ce qu'on sait ?

Hjalle regarda Monica, assise en face de lui de l'autre côté de la table, qui baissait les yeux sur ses papiers.

– On sait qu'elle a passé quelques heures à Slagthuset, le personnel la reconnaît pour l'avoir vue assez souvent dans la partie discothèque, d'où elle repartait rarement avant quatre heures ou quatre heures et demie. Selon certains agents de sécurité, elle aurait quitté l'endroit vers deux heures, cette nuit-là.

– Seule ?

– Ça reste à déterminer. Mais quelqu'un pense l'avoir vue monter dans une petite voiture rouge, dans Carlsgatan, sans pouvoir affirmer que c'était bien elle, ni si c'était un taxi ou non. Peut-être un taxi clandestin, d'après ce témoin.

– Elle était venue seule ?

– Non, elle est arrivée en compagnie d'une fille blonde, une copine suédoise avec laquelle on l'a vue assez souvent à cet endroit.

– Qui ça ?

– Personne n'a pu nous donner son nom. L'un des agents pense qu'elle s'appelle Angelica, ou un prénom commençant par A en tout cas, mais pas très courant.

– Une camarade de classe ?

– On n'en sait rien.

Hjalle regarda sa montre. Dans la salle d'audition l'attendait Hamid, celui des cousins qui avait manifesté le plus clairement sa satisfaction à propos de la mort de Yasmina. Ses parents, eux, étaient trop choqués pour être entendus.

– Que sait-on de la famille Saïd ?

– Pas mal de choses. Il s'agit de deux frères d'origine palestinienne. L'aîné, Amir, est arrivé en Suède il y a pas mal de temps. C'est le père des cousins de Yasmina : Hamid, Abou, Nasser et Amina, ils habitent Sörbäcksgatan eux aussi, depuis une dizaine d'années. Le cadet, le père de Yasmina, est arrivé nettement plus tard et travaille dans la casse de voitures de son frère, qui est située près du terrain de golf de Kvarnby, apparemment.

Hjalle ne put s'empêcher de se revoir au sixième trou, d'où l'on avait une vue parfaite sur la zone industrielle.

– Il a quatre enfants, enfin plus que trois maintenant, deux en bas âge et Alisa, la fillette de onze ans qu'on a vue et qui nous a informés des menaces dont Yasmina faisait l'objet depuis pas mal de temps de la part de ses cousins. Les services sociaux étaient au courant du cas et examinaient la possibilité de lui fournir une nouvelle identité. Le conflit est apparu lorsque Yasmina a refusé, à quatorze ans, de se fiancer à Abou, l'aîné de ses cousins. Deux ans plus tard, elle a fait une fugue et les services sociaux l'ont hébergée à l'hôtel, puis chez des amis et connaissances. Elle ne voyait presque plus sa famille. Sauf au lycée.

– Lequel ?

– Celui de Pildamm, que fréquentent aussi deux de ses cousins, Abou, son « fiancé », et Hamid, celui qui attend dans le couloir.

– Ils fréquentaient le même établissement scolaire ?

– Oui. D'après le directeur, on n'était pas conscient de la gravité des menaces pesant sur elle mais on « commençait à se préoccuper de la situation de Yasmina ». Tel que.

– Où habitait-elle ?

– Chez une amie, ces derniers temps, apparemment.

– Qui ça ?

– On ne sait pas.

– Il faut s'en informer.

– La petite sœur semble avoir fait office de messagère entre Yasmina et sa famille. Elle pourra peut-être nous en dire plus.

– Il faut qu'on aille la voir à nouveau et qu'on parle aux professeurs et camarades de classe de Yasmina. Et qu'on sache où elle habitait.

Ils étaient à table tous les sept. Ann-Mari avait préparé des coquilles Saint-Jacques avec des pommes de terre à l'eau et des betteraves. Un quart d'heure plus tard, elle était seule à table près de son mari et lui disait avec un sourire :

– Tornade terminée !

– En effet.

– Est-ce qu'on ne pourrait pas demander à quelqu'un de l'enregistrer, un jour, pour en faire un film ?

– Et l'envoyer à un festival du court-métrage sous le titre : *Miracle suédois : le dîner le plus rapide au monde* ?

Elle éclata de rire en tendant la main pour prendre une cigarette. Lorsqu'elle l'alluma, il la regarda comme s'il voyait sa femme pour la première fois depuis longtemps. Ann-Mari, la mère de ses trois fils. Et de deux autres garçons. Il y avait des moments où il se souvenait à peine de son existence, comme si son travail et ses enfants accaparaient toute son énergie. Or, ce jour-là, il la voyait véritablement. Il remarquait aussi qu'elle avait vieilli.

– Qu'est-ce qu'il y a ?

– Comment ça ?

– Pourquoi me regardes-tu avec ces yeux-là ?

– Je n'ai pas le droit de regarder la femme de ma vie ? C'est un des droits de l'homme les plus fondamentaux, non ?

Elle tira une bouffée sur sa cigarette, en émettant ce petit sifflement qui lui était coutumier. Cela faisait longtemps qu'il avait cessé de caresser l'espoir qu'elle s'en défasse et il ne remarquait même plus quand elle fumait. Après le repas, c'était : cigarette obligatoire, point final.

– À quoi penses-tu ?

– Au fait qu'il y a maintenant quinze ans, je ne sais pas si c'est clair dans ton esprit.

– Clair ? Bien sûr que oui. Tu en as assez de moi, ou quoi ?

Il la regarda avec un sourire et fit attendre sa réponse.

– Pas après un délice comme celui que tu viens de nous servir. Comment serait-ce possible ?

– Non : sérieusement, Hjalle ?

Depuis pas mal de temps, il était à l'affût d'autres femmes. Partout : à l'hôtel de police, sur le terrain, au tribunal. Au point de s'en inquiéter lui-même.

– Qu'est-ce qui te fait croire ça ?

– Réponds-moi : oui ou non ?

– Non.

– Il y a pourtant des fois où j'ai cette impression. Comme si tu n'étais pas là. Je ne sais pas où, mais uniquement que tu n'es pas là...

– Qu'est-ce que tu veux dire par « pas là » ?

– Ce que je dis : tu n'es pas là. Ton corps, oui, mais pas toi.

Il comprenait parfaitement ce qu'elle voulait dire. Il n'était plus là, près d'elle. C'était ainsi, mais il refusait de l'admettre.

– Le boulot...

– Ah oui, le boulot ! Ça fait pas mal d'années que j'entends ce refrain, Hjalle. Du boulot, tu en as toujours eu. Mais avant, tu étais capable de le laisser à distance. Alors, de quoi s'agit-il ? demanda-t-elle en le regardant d'un air las.

– Un de ces crimes d'honneur, on dirait.

Le visage d'Ann-Mari trahit sa contrariété et elle parut un moment vouloir changer de sujet.

– C'est vrai ? Où ça ?

– Pildammsparken, mais la famille vit à Kroksbäck.

– C'est absurde.

– Une jeune fille retrouvée morte sur Tallriken et la famille est soulagée d'apprendre la nouvelle...

– Comment peut-on laisser entrer ces gens-là ? Il y a des moments où j'en ai assez de ces bonnes âmes qui veulent absolument « comprendre » ce genre de choses. Hein ? Il me suffit de les voir avec leurs *soûlards*, pour avoir peur...

– Leurs foulards, tu veux dire.

– Oui, bon : leurs foulards. J'ai vraiment peur. Où va ce pays, enfin quoi ? Et puis les slogans du genre : « En 2010, on prendra le pouvoir* », hein ? lui demanda-t-elle en le regardant de près.

– De quels slogans parles-tu ?

– Je sais que tu n'es pas courant, Hjalle. Mais tu sais ce que j'en pense, moi ?

– Non.

– Eh bien, qu'il faut les renvoyer chez eux, une fois pour toutes. On ne peut pas tolérer ça.

Elle débarrassa la table avec des gestes de colère, comme si l'auteur d'un crime d'honneur se dissimulait sous chacun des couverts et des assiettes, et chargea le lave-vaisselle en ne ménageant pas les effets sonores. Ce n'est que lorsqu'elle eut fait place nette et que le ronron de la machine se fit entendre qu'elle retrouva un certain calme.

– J'ai précisé : *on dirait* qu'il s'agit d'un crime d'honneur, tenta d'avancer Hjalle.

– Tu sais ce que je veux, moi ?

– Non, répondit-il en s'attendant à des suggestions du genre de celles du parti Scanien**.

Ils s'étaient éloignés imperceptiblement, non seulement sur le plan affectif mais aussi du point de vue politique. Les expériences qu'il avait eu l'occasion de faire, au fil des ans, en tant qu'inspecteur de la Criminelle, l'avaient radicalisé, lui. Sa femme, elle, avait suivi le parcours inverse : jadis très active au sein des mouvements de gauche, elle était en train de dériver vers l'autre bord. Selon elle, c'étaient tous ces immigrés venus vivre à Malmö qui en étaient la cause et qui avaient fait déborder le vase.

Mais ce qu'elle avait à proposer n'avait rien de politique, c'était au contraire extrêmement personnel.

– J'aimerais qu'on entreprenne une nouvelle thérapie familiale, Hjalle.

Il sursauta. Décidément, elle ne cesserait jamais de le surprendre.

– Une thérapie ?

---

* Le livre est paru en Suède en 2003 ; l'année 2010 a vu l'extrême droite entrer pour la première fois au Parlement suédois.
** Parti séparatiste, plus folklorique qu'ouvertement raciste, mais légèrement xénophobe.

– Oui, sinon on va droit dans le mur. C'est comme ça, et moi, je m'y refuse.

– Tu as pensé à la somme que ça représente ?

– Peu importe ce que ça coûte. Je ne suis plus en mesure de supporter cette situation.

– Donne-moi le temps de réfléchir…

– Pas trop longtemps, répondit-elle pensivement. Avant qu'il ne soit trop tard.

6 septembre

Hjalmar Lindström prit place derrière la table. Face à lui se trouvait Hamid Saïd, dix-huit ans, en terminale, section sciences sociales, qui le dévisageait, le visage fermé. L'inspecteur, lui, s'efforçait de se comporter de façon détendue et presque avec familiarité.

– Tu es au lycée Pildamm, à ce que j'ai compris.

– Oui.

– Tu ne le sais peut-être pas mais, jadis, il s'appelait Källängen. Pour ma part, j'allais à Borgar, près de l'Aqua-Park. Il doit y avoir un siècle de ça, dit-il avec quelque chose qui se voulait un sourire.

Hamid le regardait d'un air hostile en passant l'index de l'une de ses mains sur le duvet de sa moustache. Hjalle eut l'impression qu'il était inquiet mais le cachait bien.

– On va commencer par le commencement, si tu n'y vois pas d'inconvénient. Qu'est-ce que tu faisais, samedi soir ?

– J'étais chez moi.

Il eut le sentiment que la réponse survenait un peu trop vite pour être totalement spontanée.

– Tu peux le prouver ?

– Demandez à mes frères.

Forcément, comme prévu. Il allait falloir se contenter de peu.

– Tu n'es donc pas sorti du tout ?

Hamid réfléchit un instant avant de répondre, sur un ton ferme et décidé, et de façon un peu hachée :

– On est allés faire un tour en bagnole vers minuit, mes frères et moi. À la station Statoil de Bellevuevägen. Ensuite chez Gustav, et après ça on est rentrés.

– Vous n'auriez pas poussé jusqu'à Slagthuset, par hasard… ?

– Pourquoi ça ? Pour mater toutes ces putes suédoises qui font la retape ? On a pas besoin de ça, nous. On est rentrés un peu après minuit pour regarder une émission d'Al Jazeera sur la Palestine, ajouta-t-il avec un regard de haine.

– C'est plus là qu'elles sont, les putes, maintenant, tu le sais bien, Hamid. C'est sur St Knuts väg, près de Mellersta Kyrkogården…

Hamid perçut le côté ironique de la remarque et pâlit un peu plus.

– Pas de ça avec moi. C'est des salopes. Elles sont blondes, c'est vrai, mais c'est que de la merde. C'est des putes. Je vais vous dire, moi. À la Sainte-Lucie, l'an dernier, je suis allé du côté de Möllevången, avec mon frère. Y en avait vingt ou trente, la plus jeune dans les douze ans, avec du brillant dans les cheveux, qu'étaient allongées près de la centrale électrique et qui dégueulaient. Et j'en ai vu deux qui s'embrassaient. Des filles. C'est dégueulasse. Pas étonnant qu'elles fassent les putes, après ça. C'est ce que je pense, moi, en tout cas.

– Et, d'après toi, Yasmina en était une, elle aussi ?

Hamid ne répondit pas tout de suite. Il passa son doigt sur sa moustache et se racla la gorge avant de reprendre.

– Oui, une vraie. C'est les Suédois qu'en ont fait une traînée qui baise avec n'importe qui. Vous croyez quand même pas qu'on voudrait d'un déchet pareil dans la famille, hein ? Je remercie mon Dieu d'avoir trouvé quelqu'un pour la punir.

– Tu as une petite amie, toi ?

– Je suis fiancé depuis trois ans.

– Avec qui ?

– Leila. Mais ça vous regarde pas.

– Vous n'êtes jamais allés danser ou faire la fête ?

Le visage de Hamid se renfrogna et il contempla Hjalle avec un air de mépris très prononcé. Celui-ci revit l'espace d'un instant l'image de Jeanette, assise derrière lui sur la Zündapp.

– Pourquoi une telle haine, Hamid ?

Pas de réponse.

– Est-ce qu'elle a fait quelque chose qu'elle n'aurait pas dû, à toi ou à quelqu'un de ta famille ? À part le fait qu'elle aimait aller danser ?

– Aller baiser, oui.

– Quoi d'autre ?

– Vous comprenez pas, là ? Si la plus grande baiseuse du bahut portait votre nom... ça vous ferait rien, à vous ? Vous savez ce que j'espère ?

– Non.

– Qu'elle ira rôtir en enfer pendant cent piges. Du haut en bas, la chatte et tout.

Hjalle comprit qu'il ne servirait pas à grand-chose de poursuivre la conversation à propos de Yasmina. Chaque fois qu'il mentionnait son nom, Hamid s'étranglait. Celui-ci regarda sa montre.

– Très bien, Hamid. Tu vas pouvoir rentrer chez toi. Une dernière question, simplement. La voiture que vous conduisiez, qu'est-ce que c'était ?

– Je me souviens pas.

– Pourquoi ça ?

– Je sais pas. Vous vous souvenez de tout, vous ?

– Je me rappelle au moins la couleur des voitures dans lesquelles je monte.

– Eh ben, pas moi.

– Ton père a-t-il plusieurs voitures à sa disposition ?

– Peut-être que oui.

– Bon, tu peux partir. Mais on risque de se revoir. Porte-toi bien.

Hamid Saïd se leva brusquement et sortit de la salle d'audition sans dire un mot.

Monica Gren observait la cour du lycée Pildamm. Yngve Lidman, le professeur principal de la classe de Yasmina, apporta deux tasses de café, ôta ses lunettes et s'essuya le front avec son mouchoir. Il était impeccablement vêtu d'un costume gris très strict, d'une chemise blanche et d'une cravate qui donnaient à Monica le sentiment qu'elles dataient de Mathusalem et auraient dû se trouver dans un musée de cire, en fait.

Les gens étaient sous le choc. Plusieurs personnes, tant parmi les élèves que les professeurs, lui avaient dit que, pour eux, il était « incompréhensible » que cela se soit passé dans « leur » établissement. Yngve Lidman en était profondément affecté, lui aussi.

– Je ne sais pas quoi vous dire. Cela faisait plus d'un an qu'elle était mon élève. C'était quelqu'un de bien, la petite Saïd. Mais je dois aussi être totalement honnête avec vous, inspecteur. Je ne vous cacherai pas que je suis loin d'avoir une bonne opinion des musulmans. J'ai toujours nourri des doutes à propos de cette religion des peuples du désert. Cela n'a rien à voir avec la culture arabe, pour laquelle j'ai beaucoup de respect, au même titre que celle des Grecs, des Hindous ou des Chinois. Que serait la culture espagnole sans sa composante arabe ? Elle serait bien plus pauvre et moins diversifiée, hein ? Non, ce à quoi je fais allusion, c'est à mon expérience des jeunes Arabes que j'ai eus et que j'ai encore comme élèves. Ils sont paresseux. Et pas très doués, en plus, la plupart du temps...

– Certains professeurs de Stockholm étaient du même avis, coupa Monica, jusqu'à ce qu'ils s'aperçoivent qu'en fait ils jeûnaient. Les résultats se sont nettement améliorés quand ils sont parvenus à les convaincre de ne jeûner que pendant le week-end.

Lidman la regarda avec des yeux remplis de surprise et de mépris, à la fois.

– Ah bon, on dit tellement de choses, dans les journaux. Mais j'ai mon opinion et je la maintiens. C'est ma dernière année dans l'établissement. Je n'aurais pas pu vous dire ça si j'avais été plus jeune, car la vérité n'est pas politiquement correcte, comme on dit. Pourtant, je peux vous assurer que l'invasion musulmane nous mène à la catastrophe. Tous mes collègues savent ce que j'en pense. La majorité d'entre eux est d'ailleurs d'accord avec moi mais n'ose pas s'en vanter.

Monica le vit s'éponger à nouveau le front, ainsi que le crâne, lequel était encadré de deux mèches grises.

– Je ne suis pas venue ici pour entendre juger de la sorte certaines populations. Tout ce que je désire savoir, si vous voulez bien m'excuser, c'est l'opinion que vous avez de Yasmina.

Le tout sur un ton assez ferme trahissant une sorte de besoin pubertaire de contrer l'autorité magistrale.

– J'entends bien et c'est à ça que je voulais en venir. Yasmina, c'est l'exception qui confirme la règle en ce sens qu'elle était l'exact opposé de tout ce que j'ai vu auparavant. Éveillée. Intelligente. J'irais jusqu'à dire qu'elle faisait preuve de pas mal de connaissances. Elle était capable d'opérer, entre le Coran et la Bible, des rapprochements intéressants manifestement basés sur une lecture personnelle. Il était enrichissant de parler avec elle. Elle s'exprimait bien et était dotée d'une intelligence assez vive et prompte à saisir les rapports entre les choses. Mais – et c'est peut-être l'effet de ce que je viens de dire – elle ne tenait pas en place, également. Elle n'était pas très patiente, surtout envers son entourage. Elle était irritée par le manque d'intérêt de ses camarades de classe et il n'était pas rare de l'entendre soupirer quand un des élèves les moins doués faisait une mauvaise réponse. Je pense donc, sans pouvoir l'affirmer, naturellement, qu'elle était assez seule. Au moins en classe.

– Autre chose ?

– C'était une forte personnalité, très intéressante. Elle avait entrepris un travail de recherche sur Edith Södergran.

– Qui ça ?

Lidman poussa un grand soupir en balayant la cour du regard et s'essuyant à nouveau le front avec son mouchoir.

– Une poétesse finlandaise de langue suédoise*, l'une des plus grandes de l'histoire littéraire.

Monica se sentit soudain toute petite devant ce vieux professeur.

– Quelque chose d'autre ? Avait-elle une camarade à laquelle elle se confiait ?

– Gaja, peut-être.

– Gaja ?

– Gaja Nilsson.

– On l'appelait la Super-nana.

– C'est vrai. Je l'ai jamais fait, moi ; mais les autres, oui. Jamais devant elle, bien entendu. Pourtant, si on parlait de la Super-nana, tout le monde savait de qui il s'agissait.

Les trois camarades de classe, des filles, se coupaient la parole et donnaient l'impression d'un seul corps doté de plusieurs voix, modulées différemment.

– Pourquoi ça ?

– Ben, c'est clair, non ?

– Elle était douée, quoi ?

– Plutôt, oui.

– Comment était-elle ?

– Elle avait pas besoin d'apprendre, elle. Elle savait déjà tout. Et elle se croyait plus forte que les autres.

– Elle disait à peine bonjour.

– Elle nous voyait pas quand on arrivait.

_____

* (1892-1923) Un des grands noms de la poésie moderniste. Son œuvre, brève mais extraordinairement intense, a été traduite en français (Éditions P.-J. Oswald et La Différence).

– Elle poussait toujours de grands soupirs, si on osait l'ouvrir.

– Mais c'est moche, ce qui lui est arrivé, c'est sûr. La pauvre.

– Ça cancanait dur, sur son compte.

– Elle était pas mal. Un peu... comment dire... délurée, quoi. Toujours maquillée, de façon assez osée...

– Et ces blagues, qu'elle racontait. On peut se demander où elle les avait apprises.

– Y avait des types qui venaient la chercher en BMW ou en Mercedes. Alors, dans ce cas-là...

– Mais, d'un autre côté, elle était à plaindre, avec ses salauds de cousins. Comment ils s'appellent, déjà ? Hamid et Adou ou quelque chose comme ça. Ceux-là, c'est des vrais abrutis. Je comprends pas qu'ils aient le droit de suivre les cours et qu'on les ait pas encore mis à la porte.

– Ils disaient qu'elle se camait. Je sais pas, moi. Et qu'elle faisait la pute de luxe.

– C'est vrai qu'elle sortait tous les week-ends. Elle en ratait pas un.

– Avec qui sortait-elle ? demanda Monica en regardant les trois filles. Avec vous ou...

– Ah ça non, y avait pas de risque. On était pas assez bien pour elle.

Elles étaient certes très affectées par ce qui était arrivé mais leurs visages ne trahissaient pas une très grande peine. Monica eut le sentiment qu'elles étaient surtout flattées de se trouver à la périphérie d'un événement d'importance.

– Pas vrai ?

– Si.

– Avec qui sortait-elle, alors ? Vous ne la rencontriez jamais ?

– Je l'ai vue deux fois à Slagthuset, elle était avec une blonde. De Petri*, je crois. Mais elle faisait toujours semblant de ne pas me voir.

– La pute de la galerie de Hansacompaniet ?

Elles éclatèrent toutes trois de rire, avant de se rappeler la gravité de la situation.

– Qui ça ?

– Une fille de bourges.

---

* Lycée du centre de la ville, considéré comme plus chic que les autres.

– Comment s'appelle-t-elle ?

– Je sais pas. Angelica ou Alice, je me souviens pas au juste. Ça commence par A, en tout cas.

– Avait-elle des ennemis, à votre connaissance ?

Elles réfléchirent un instant en silence. Pour finir, c'est Sara, la plus bavarde, qui prit la parole.

– Ses cousins, ces salauds d'arabes. Et ce genre de bouffeurs de fallafels.

– Les cinglés du halal.

– Niclas avait des choses à lui reprocher, lui aussi.

– Niclas ?

– Niclas Hjälm, un gars de la classe. Ils étaient ensemble avant, et puis elle l'a largué. Et il est pas commode, pas du genre à accepter ça.

– Il a flippé pendant des mois.

– Qui d'autre ?

– Je sais pas. Des ennemis, c'est peut-être exagéré. Mais elle avait pas vraiment d'amis. Pas au bahut, en tout cas.

– Gaja, peut-être ?

– Gaja Nilsson ?

– Ah oui, la Grosse. Oh, pardon !

Monica regarda les trois filles, qui étaient habillées de la même façon et parlaient avec la même intonation traînante. Elle ne put s'empêcher de repenser à ses propres années de lycée, pendant lesquelles sa différence à elle était apparue avec encore plus de netteté qu'auparavant. Certaines de ses camarades osaient s'afficher telles qu'elles étaient, alors que d'autres se cramponnaient à ce qui les faisait ressembler à l'ensemble de leurs camarades. Et ce nom – la Jaune – dont elle avait été affublée, lui revint soudain en mémoire. Le moment était venu pour Monica-la-Jaune de parler à la Grosse, envers qui elle nourrissait déjà, de façon intuitive, une certaine sympathie.

– Vous pouvez vous en aller, les filles. Demandez à Gaja de venir me trouver, si vous voulez bien. Et, si vous pensez à quelque chose d'intéressant, soyez gentilles de m'appeler.

Gaja Nilsson portait une robe aux couleurs voyantes mettant en valeur un ventre en effet assez rebondi. Elle avait un peu l'air d'une conteuse et de grosses lunettes rondes ornaient son visage triste. Elle avait la démarche ondulante, était penchée en avant du fait de son embonpoint et elle transpirait à grosses gouttes. Cela ne l'empêcha pas d'adresser un grand sourire à Monica, en venant, non sans peine, prendre place sur une chaise à côté d'elle.

– Tes copines m'ont dit que tu étais la seule amie de Yasmina, dans cet établissement. C'est vrai, Gaja ?

– Peut-être. La seule à qui elle parlait, en tout cas. Mais pas au point de me faire des confidences.

– Qu'est-ce que tu penses de tout ça ?

Les yeux de Gaja Nilsson portaient encore la marque du choc de la nouvelle et elle avait des difficultés à s'exprimer. Au lieu de répondre, elle se mit donc à pleurer. Monica tenta de la consoler en passant le bras autour de ses épaules. Au bout d'un moment, elle reprit suffisamment la maîtrise d'elle-même pour répondre.

– Ce que j'en pense ? Elle était trop pointue, c'est tout.

– Qu'est-ce que tu entends par « pointue » ?

– Elle n'en faisait qu'à sa tête. Elle larguait les types les uns après les autres. S'ils se mettaient à mal lui parler, elle leur répondait du tac au tac. C'est la fille la plus intelligente que j'aie jamais connue. Mais, en même temps, c'était… comment dire… la plus vulgaire.

– Qu'est-ce que tu veux dire ?

– Elle était avec un type qui s'appelle Niclas…

– Niclas Hjälm ?

– Oui. Quand elle l'a largué, il a piqué une crise pas possible et l'a traitée de tous les noms. Suceuse de bites et ce genre de chose. Un matin, il a demandé carrément : « Où elle est, la suceuse de bites ? » Et elle lui a répondu : « Ici. Mais j'ai pas pu sucer la tienne, parce que t'arrives même pas à bander. » Tout le monde s'est marré et il est devenu vert. Elle savait comment les remettre en place, les types. S'ils lui disaient quoi que ce soit, elle répliquait sur le même ton, mais en pire, et c'était toujours elle qui gagnait. Ils ont fini par… avoir peur d'elle, quoi. Ils craignaient trop d'être ridiculisés. Comme Niclas l'a été.

– Quand est-ce que ça s'est passé ?

– Y a deux ou trois semaines de ça.

– Autre chose ?

– Y en avait beaucoup qui l'avaient pas à la bonne.

– Comment ça ? Pourquoi ?

– Ils étaient jaloux d'elle, parce qu'elle était trop douée.

– Mais rien de particulier ?

– Si, ses cousins, Hamid et Abou. Deux espèces de sales petits loubards qui auraient dû être mis à la porte il y a longtemps, si le bahut fonctionnait normalement. C'est un miracle qu'on les ait tolérés.

– Qu'est-ce qu'ils faisaient ?

– Toutes sortes de choses. Sur le plan verbal, je veux dire. C'est vrai que Yasmina avait mauvaise réputation, mais tout ça c'est des mensonges et c'est la faute de ses cousins. Ils la traitaient de pute de luxe, de camée, de baiseuse à la chaîne et je sais pas quoi. Comment elle a pu supporter ça, j'arrive pas à le comprendre.

– Tu crois vraiment qu'elle le supportait ?

– Enfin, elle avait des moyens de fuir tout ça, pour ainsi dire.

– Ah bon, lesquels ?

– Angela. La danse. La poésie. Les livres.

– Angela ?

– Angela Philipsson, une fille de Petri. Elle a du fric, ses parents lui paient un appart et elle est allée en France en échange scolaire. Yasmina logeait chez elle depuis... au moins six mois, en tout cas.

– Elles étaient bonnes amies ?

– Des vraies sœurs.

– Et toi ?

– Comment ça ?

– Tu les fréquentais beaucoup ?

Une ombre passa sur le visage de Gaja, comme si cette question touchait un point sensible en elle.

– De temps en temps. On se tirait les cartes, on lisait des poèmes. Mais il faut toujours – enfin, il fallait – qu'elles sortent.

– Et tu n'étais pas de la partie ?

– Non. Je ne voulais pas trop, non plus.

Après un bref silence, Gaja reprit en disant :

– Je marche sur la chaise, debout sur la chaise.

– Qu'est-ce que tu racontes ?

– C'est du Yasmina. Elle déformait tout. Elle changeait Sinead O'Connor en Ciné O'Connor, par exemple. Quant à « Je marche sur la chaise, debout sur la chaise », c'était notre façon de nous saluer et il fallait absolument dire ça pour avoir le droit de rentrer chez elles. C'est du Edith Södergran, revu et corrigé*.

– La poétesse finlandaise de langue suédoise ? avança prudemment Monica.

– C'est ça. On déclamait ses vers, debout chacune sur une chaise, toutes les trois.

Gaja sourit comme si elle se retrouvait soudain en un endroit où elle était heureuse.

– C'est dingue. Formidable. Elles étaient complètement déchaînées, Angela et Yasmina…

– Tu m'as dit qu'elles allaient danser ?

– Sans arrêt. Le week-end. Au milieu de la semaine.

– Mais tu n'es jamais allée avec elles.

– Si, une fois. Au Jéricho. Danser le tango.

– Le tango ?

– Oui. Elles dansaient tout. House music, hip-hop, tango, salsa, cumbia. C'étaient des monstres en matière de danse.

– Où allaient-elles ?

– Surtout à Slagthuset.

– Mais tu n'y es jamais allée, toi ?

– Non.

– Comment trouvaient-elles l'énergie ?

– Je sais pas. Je crois que…

Elle s'interrompit brusquement.

– Quoi ?

– Rien.

Monica poursuivit comme s'il ne s'était rien passé.

– Parle-moi un peu de ces cousins. Qu'est-ce que tu sais d'eux ?

– Uniquement ce qu'elle m'a dit elle-même. Qu'elle a refusé de se fiancer à Abou à l'âge de quinze ans. À ce que j'ai compris, ça a fait un raffut pas possible dans la famille, surtout avec son oncle et ses cousins. Elle est partie de chez elle et a d'abord logé

---

* Le texte original dit « Je marche sur le soleil, debout sur le soleil » et le travestissement est basé sur la proximité des mots « soleil » et « chaise » en suédois.

chez moi, pendant un certain temps. Puis dans un petit hôtel
de Gamla Väster. Et ensuite chez Angela Philipsson, je vous l'ai
déjà dit.

— Où est-ce qu'on peut la trouver, cette Angela ?

— Au numéro 3 d'Ivögatan. Ou bien à Petri.

7 septembre

D'un geste indiquant qu'elle les attendait, Angela Philipsson ouvrit la porte pour les laisser entrer. Encore une beauté, telle fut la première pensée de Hjalmar en voyant l'amie de Yasmina. Elle avait de longs cheveux blonds et bouclés, en queue de cheval, et des yeux vert clair. Elle était grande mais assez dodue et, malgré son âge, elle le fit penser à ce qu'on appelle « une femme mûre ». Un cœur en or, sur l'une de ses incisives, attirait immédiatement l'attention.

Elle les invita à pénétrer dans ce qui semblait être la salle de séjour de l'appartement. Contre l'un des murs était posée une grande bibliothèque en bois clair pleine de livres et de CD. Sur un autre était fixée une lithographie d'Ola Billgren, près d'une affiche d'Eminem. Un buste doré de Bouddha partageait avec d'autres sculptures en divers matériaux une table placée près d'un lit sur lequel des vêtements étaient empilés en deux tas. Sur un minuscule chevet, près du lit, étaient posés trois livres : Le Coran, la Bible et une édition de poche des poèmes complets d'Edith Södergran. Et un magazine de mode féminin.

– Vous savez certainement ce qui nous amène.

– Oui, dit Angela en se laissant tomber sur une chaise près du lit, les yeux rouges et enflés des larmes qu'elle avait versées.

– Nous comprenons la situation, mais nous espérons aussi que vous serez en mesure de nous aider, puisque Yasmina logeait avec vous, n'est-ce pas ?

– Depuis le mois de janvier, soupira-t-elle lourdement, comme pour reprendre des forces.

– Comment avez-vous fait connaissance ?

– On s'est rencontrées au Jéricho il y a deux ans. Pendant un *practica*.

– Un *practica* ?

– Un tango, quoi.

– C'est vrai, il paraît que vous aimiez bien danser, toutes les deux.

– On aimait bien ? C'est peu dire, en ce qui la concerne. Elle adorait danser plus que quoi que ce soit d'autre au monde. Et elle le faisait divinement. Presque tout. On avait l'impression qu'elle était dans un autre univers et qu'on lui fichait la paix.

– Comment ça « on lui fichait la paix » ?

– Vous n'ignorez pas ce qu'il en était de sa famille, ses cousins et le reste, hein ? Et que l'oncle de Yasmina exerce une dictature clanique sur sa famille, qui est manipulée à distance depuis le sud du Liban.

Son visage trahissait une vive émotion, tandis qu'elle prononçait ces paroles.

– Amir l'a violée à l'âge de seize ans, un an après son refus de se fiancer à Abou, son fils aîné. Elle n'avait nulle part où aller et n'a même pas osé s'adresser à l'hôpital. Elle s'est retrouvée enceinte et c'est moi qui l'ai aidée, parce que mon père est médecin. Il a les contacts qu'il faut et on a arrangé ça, mais elle a refusé de porter plainte. Elle avait peur, bien entendu. Et ce n'est que longtemps après qu'elle m'a confié qu'il s'agissait d'un viol.

Puis elle continua à évoquer les relations entre ces deux familles palestiniennes sur un ton à la fois triste et monotone.

– C'est Amir qui régit tout. C'est lui qui possède la casse où travaille le père de Yasmina et il sert d'intermédiaire dans les relations avec le grand-père paternel, qui vit au Liban, dans la plaine de la Bekaa. Le papa de Yasmina est quelqu'un de bien, au fond, mais il est trop faible et n'ose rien faire par lui-même. Il parle très mal suédois, en plus, et il dépend donc totalement de son frère, qui a trois fils et une fille. Ça fait longtemps qu'ils vivent ici, ceux-là, ils savent bien comment fonctionne le système. À ce que j'ai compris, Yasmina voulait n'en faire qu'à sa tête et ça a entraîné des difficultés dès le début. Elle était... comment dire... formidable. Très douée, drôle, un peu folle. Je n'ai jamais connu une fille animée d'une telle joie de vivre, malgré tout ce qu'elle a vécu. Elle en débordait littéralement et il était impossible de ne pas se laisser contaminer. C'est simple : elle illuminait tout ce qu'il y avait autour d'elle et tous ceux qu'elle appréciait. Envers les autres, elle était cassante et pouvait même se montrer cruelle. C'était comme ça, avec elle : tout l'un ou tout l'autre. Ceux qu'elle aimait bien, elle les adorait. Les autres, elle les envoyait balader. Pas de demi-mesures.

– Vous étiez très proches, paraît-il.

– Sur tous les plans. Ici, elle était libre.

Hjalmar regarda autour de lui. L'appartement était vieillot, un peu négligé mais de façon sympathique, et respirait un désir juvénile d'évasion. En voyant et entendant Angela parler, il en vint à penser à Ann-Sofi, sa camarade de lycée, surnommée « la fille qui fait ce qui lui plaît ». Elle avait quitté ses parents alors qu'elle était en première, avait fait connaître Dylan et Cohen à ses condisciples, lisait Hesse, portait des insignes sur lesquels étaient inscrits des slogans contre la guerre au Vietnam et avait abandonné ses études au beau milieu de l'année pour aller travailler dans un hôtel en Crète. Elle semblait connaître le monde entier, qu'elle « dévorait » à belles dents, paraissait n'avoir peur de rien, s'amourachait de déserteurs américains, consommait LSD et amphétamines, mais se tirait toujours d'affaire. Elle avait donné à Hjalle un aperçu d'un monde qui était à des années-lumière de lui. Ils avaient le même âge, à quelques jours près, et pourtant il se sentait inférieur à elle, tant sur le plan intellectuel que sur celui de l'expérience. Ann-Sofi, c'était un arbre s'élevant très haut dans le ciel, alors que lui restait au ras du sol et se contentait de ramasser avec gratitude les fruits tombant de ses branches : idées de livres à lire et de disques à écouter, tuyaux sur les plages grecques et les restaurants bon marché ainsi que conseils très directs sur « ce que pensent et ressentent les femmes ». Elle était maintenant mère de trois enfants et politicienne social-démocrate, tout en étant très engagée dans la lutte contre la drogue. Il lui arrivait de la croiser dans son travail et, chaque fois, il se voyait rappeler son sentiment d'infériorité. Il avait beau enquêter sur une foule d'affaires et de meurtres, elle garderait toujours une mystérieuse longueur d'avance sur lui quant à ses connaissances sur la « vraie » vie.

Or, il se trouvait face à une adolescente de dix-neuf ans porteuse d'une énergie analogue, ainsi que d'une aptitude aussi manifeste à voler de ses propres ailes.

– Ses cousins ? C'est eux que vous soupçonnez ?

– Naturellement.

Hjalle crut déceler l'ombre d'une hésitation derrière cette réponse très rapide.

– Et vous, où en êtes-vous de vos études ?

– Je suis en terminale à Petri.

– Mais vous êtes née en 1980…

– Je suis allée passer une année au lycée de Montpellier.

– C'est vos parents qui paient votre appartement ?

– Oui, je ne voulais plus habiter à la maison, en revenant de France, alors ils ont décidé de me l'offrir. Ce n'est pas bien cher, en fait, ajouta-t-elle comme pour s'excuser.

– Où habitent vos parents ?

– À Mânplan, dans le quartier de Gamla Bellevue.

– La cohabitation avec Yasmina n'a pas été trop difficile ?

– Absolument pas. On s'entendait très bien. On était comme des sœurs et c'est d'ailleurs le nom qu'on se donnait.

– Lequel ?

– Les sœurs Sisters, sourit-elle mollement.

Hjalle eut vaguement le sentiment qu'il y avait quelque chose dont la jeune fille blonde en face de lui ne voulait pas parler. Et il ne pouvait se défaire de l'idée d'Ann-Sofi et des filles dans son genre, un peu folles, indisciplinées, sortant tard le soir, ne se refusant rien et n'acceptant rien qui leur déplaise, non plus. Utilisant leur beauté et leur séduction comme armes. Rien à voir avec Gaja.

– Les sœurs Sisters sortaient beaucoup et tard le soir, à ce que j'ai cru comprendre.

– Ouais.

– Pouvez-vous nous dire ce qui s'est passé samedi dernier ?

Angela se leva, alluma une cigarette et se mit à faire les cent pas devant eux tout en parlant.

– On s'est retrouvées ici à huit heures et demie. On a mangé des fruits de mer et bu une bouteille. À minuit, on est allées au club Privé, à l'ArtHouse du Jéricho, où on n'a passé qu'une demi-heure, et ensuite à l'Étage, à peu près aussi longtemps. Ce qui fait qu'on est arrivées à Slagthuset vers une heure ou une heure et demie. Rien que de très habituel pour nous.

– Vous payez l'entrée, dans tous ces établissements ?

– On a une carte. Mais, vous savez, les sœurs Sisters entraient partout sans faire la queue.

– C'était comment, à Slagthuset ?

– Hystérique. Hyper-chaud.

– Qu'est-ce que vous avez fait ?

– Dansé.

– Où ça ?

– À la discothèque, comme toujours. On y passait parfois jusqu'à trois heures.

– Vous êtes restées ensemble tout ce temps ?

– Au début, seulement. Ensuite, j'ai bavardé avec une copine de Petri. Puis j'ai revu Yasmina à l'un des bars, en train de parler à quelqu'un… je ne sais plus qui…

Tu le sais parfaitement, Angela, mais tu ne veux pas le dire, pensa Hjalle en voyant le regard fuyant de la jeune fille se porter vers la fenêtre. Elle tira aussi une grosse bouffée sur sa cigarette, mais avec maladresse, comme si elle n'avait pas l'habitude de fumer.

– Il y avait des moments où je trouvais qu'elle dansait de façon un peu osée, provocante… elle aimait assez, comment dire… exciter les garçons, les faire bander un peu, quoi. Elle était capable d'exécuter la danse du ventre, elle avait appris ça dans sa famille, au Liban.

– Il s'est passé quelque chose de particulier ?

– Non…

– Vous vous êtes donc quittées là-bas ?

– On peut dire ça comme ça.

– Dire ça comme ça ?

– Je l'ai perdue de vue, c'est tout. Après, Robban et les autres m'ont dit qu'elle était partie.

– Robban et les autres ?

– Les agents de sécurité.

– Vous ne l'avez pas vue monter dans une voiture quelconque ?

– Je ne l'ai même pas vue quitter Slagthuset, je croyais qu'elle y était toujours.

– Quelle a été votre première réaction, quand vous avez appris ce qui est arrivé ?

– J'ai pensé à ses cousins, bien sûr. Ils passaient parfois par là dans une des voitures d'Amir, pour la provoquer.

– Pourquoi n'êtes-vous pas venue nous trouver spontanément ?

– J'étais sous le choc. Je n'arrivais pas à croire que c'était vrai. Même si ça ne m'a pas tellement étonnée, non plus, bizarrement.

– À part ses cousins, elle n'avait pas d'ennemis, à votre connaissance ?

– Non.

– Vous êtes absolument sûre ?

– Oui…

Pas à cent pour cent, donc.

– Ce Niclas Hjälm, vous le connaissez ?

– Ben oui, répondit Angela avec un sourire de lassitude.

– Il n'était pas loin, quand elle est morte…

– Il est pathétique, Niclas. C'est triste de le voir. Elle a dansé un peu avec lui lors d'une fête, il y a six mois. Et, depuis, il n'arrêtait pas de la harceler. Il est navrant. Et il n'a pas grand-chose dans le ciboulot.

– Personne d'autre ?

– Non.

– Ce sont les vêtements de Yasmina ? demanda Hjalle en désignant le lit.

– Oui.

– Il y en a qui ont l'air de ne pas être bon marché.

– Elle avait de la classe.

– Et de l'argent ?

– Pas tellement. Il m'arrivait de lui venir en aide.

– Est-ce qu'elle tenait un journal intime ?

– Pas que je sache.

Hjalle fit alors comprendre qu'il était prêt à s'en aller et se dirigea vers la porte en compagnie de Monica.

– Quel avenir professionnel envisagez-vous ?

– Psychiatre.

Elle ne manquait pas de confiance en elle, en tout cas, Angela Philipsson. Il était évident qu'elle était affectée par la perte de son amie, mais il y avait aussi quelque chose qui ne collait pas, sans qu'il puisse dire quoi. Quelque chose qu'elle n'avait pas dit et aurait dû dire. Il se retourna vers elle pour lui serrer la main.

– Si vous apprenez quoi que ce soit qui puisse avoir de l'importance pour l'enquête, ne manquez pas de nous contacter.

– C'est promis.

Quelques minutes plus tard, Hjalmar et Monica étaient à bord de leur voiture, en route vers l'hôtel de police.

– Qu'est-ce que tu en dis, Monica ?

– Que la vie est injuste. Fasciste.

– Qu'est-ce que tu entends par là ?

– Que certains ont tout gratuitement, il leur suffit de se montrer. Tu imagines ces deux filles de sortie, la nuit. Tu crois qu'il y aurait un seul homme à ne pas les avoir à l'œil ?

– Non, en effet. Les filles comme ça sont capables de mettre le feu à toute une discothèque, au sens figuré, bien entendu.

– Certainement.

Puis le silence se fit, comme s'ils méditaient tous les deux ce qu'Angela leur avait dit.

– Il y a quelque chose qui ne colle pas, Monica. C'est mon nez qui me le dit. Mon flair, précisa-t-il en regardant sa montre.

Une demi-heure plus tard, il devait rencontrer les hommes de la Scientifique, puis interroger Abou et Amir, et ensuite les parents de Yasmina. Il sentait que l'affaire était en train de se ramifier. Le fait que les différentes pistes semblaient converger en direction des cousins le rendait méfiant – envers les autres et envers d'autres possibilités. Le petit Hamid n'avait pas la tête d'un assassin et ne s'exprimait pas non plus comme tel, malgré tout le mal qu'il se donnait.

– C'est possible, bien sûr. Il s'agit de savoir quoi.

Hjalmar sortit son portable. Quelques instants plus tard, il avait obtenu l'autorisation de perquisitionner le domicile d'Angela Philipsson.

Göran Alm était grand et fort, jovial et pas très discret. Il était dans la Scientifique depuis une quinzaine d'années, ce qui conférait à ses propos une autorité indiscutable – même s'il en profitait volontiers pour être aussi concis que possible. C'est en ces termes qu'il résuma le cours supposé des événements, à l'intention de Hjalmar et Monica :

– Yasmina a sans doute été contrainte de monter dans une voiture à proximité du parking du pavillon Margareta. Elle a – presque – réussi à s'enfuir avant d'être rattrapée par son agresseur. Elle s'est défendue de toutes ses forces, et est même parvenue à se libérer à plusieurs reprises, avant de finir par être immobilisée au bord de la pelouse. Le viol n'a pas dû être consommé, car le légiste ne parle pas de traces de sperme dans son vagin, mais il semble qu'on y a enfoncé un objet quelconque. Les plaies qu'elle porte à l'intérieur plaident en ce sens, en tout cas. On a retrouvé des poils, mais pas de griffures sous les ongles. Les poils et la salive ont été envoyés au labo et on aura la réponse dans quelques jours. Le légiste a également trouvé des traces de drogue – de l'ecstasy – dans son sang. La seule conclusion qu'on puisse tirer de tout ça, c'est que le coupable était sans doute robuste, et même très costaud.

– Rien d'autre ?

– Pas pour l'instant.

L'interrogatoire d'Abou fut une véritable parodie. Le grand frère de Hamid se contenta d'affirmer ne pas avoir quitté l'appartement familial de la soirée et de la nuit. Il ne répondit à aucune question sur Yasmina, tant sur le projet de fiançailles que sur les relations entre les deux familles. Avant de procéder à l'audition d'Amir, Hjalle eut l'idée, qui lui parut géniale, de la confier à Monica, tout en restant à ses côtés.

Amir Saïd regarda la jeune femme avec la plus parfaite indifférence, ne lui accordant pas plus d'intérêt qu'à une mouche. Il avait d'ailleurs commencé par refuser de serrer la main qu'elle lui tendait en guise de salut et Hjalle ne tarda pas à se mordre les doigts de sa merveilleuse idée.

– Moi refuse parler avec femme.

Monica aurait aimé pouvoir disparaître sous terre et c'est les yeux plissés de colère qu'elle dut échanger sa place avec son collègue.

– Pour commencer, j'aimerais que vous me parliez de vos rapports avec votre frère et sa famille.

À sa grande surprise, Hjalle constata que ce visage qui lui avait paru si dur et sombre s'éclairait d'une lueur de sympathie.

– Mon frère très… comment dire à vous… perturbé, dire ça ? Lui perturbé. Besoin beaucoup d'aide. Pas trouvé travail arrivé en Suède. Moi aider lui, alors, dire pouvoir travailler chez moi dans atelier, mais mon frère pas mécanicien, lui intellectuel, pas bon avec ses mains, vous comprendre ? Lui aller beaucoup école, au Liban. Quand lui arriver Suède, moi proposer travail dans ma casse. Et lui dire : d'abord travailler un peu, puis étudier. Mais lui jamais étudié, pas encore ! Toujours parler étudier mais jamais faire. Travailler chez moi depuis années. Beaucoup erreurs. Souvent mélanger choses. Moi avoir beaucoup problèmes, mais lui être mon frère. Adi, mon frère, et moi aider toujours. Toujours. Pas problème.

– C'est donc vous qui le rétribuez ?

– Lui gagner bien, je crois. Jamais bataille pour argent, dans famille.

– Vous avez d'autres frères ou sœurs ?

Les yeux noirs d'Amir se voilèrent alors.

– Pas maintenant. Sharon prendre autres frères.

– Sharon ?

– Sabra et Shatila, Beyrouth, dix-neuf huit deux.

Hjalmar se rappela alors le massacre des Palestiniens de ces camps, sous l'œil des Israéliens. Durant la suite de l'audition, il éprouva un vague sentiment de gêne et de culpabilité.

– Mais ici, en Suède, vous n'avez pas d'autre frère ?

– Non.

Il observa ensuite une courte pause, pour se préparer à la question suivante.

– Et Yasmina, que pensez-vous d'elle ?

Amir eut la même mine d'indifférence qu'envers Monica quelques instants plus tôt.

– Elle pas exister.

– En effet. Nous aimerions savoir pourquoi.

– Elle pas exister depuis longtemps.

– Pourquoi ça ?

– Pas falloir faire comme elle faire. Alors être mauvaise. Alors quitter famille. Être seule. Pas possible être seule, dans ce monde. Vous comprendre ?

– Non, pas vraiment.

– Yasmina quitter famille quand pas vouloir marier Abou. Pas falloir faire ça. Alors tourner mal. Toujours tourner mal quand seul. Très mal. Vous pas savoir, mais nous savoir. Solitude, très mal.

– Que savez-vous de ce qui s'est passé ?

– Moi pas savoir rien.

Hjalmar tenta de percer le regard de son interlocuteur, dans l'espoir d'y discerner une lueur, une faille ou quoi que ce soit pouvant le mettre sur la piste de la solution.

– Avez-vous tué Yasmina, vous ou vos fils ?

Amir le regarda fixement, droit dans les yeux, et soudain sa voix devint monocorde, alors qu'elle ne l'était pas avant.

– Pourquoi tuer quelqu'un pas exister ? Moi aller prison et perdre commerce. Pour amuser ? Moi content Yasmina pas exister, mais

53

moi pas tuer. Pas assassin. Pas mes fils. Nous contents et remercier Allah. Être volonté de Dieu.

– Mais l'honneur, Amir. L'honneur et la réputation de sa famille, ce n'est pas ce qu'on protège, en pareil cas ?

– Moi vivre Beyrouth. Survivre Sharon. Mon père dans vallée Bekaa mais… comment moi dire ? Temps changer. À la campagne tuer, mais en ville ? Non. À Kroksbäck, Malmö ? Non.

Hjalmar sentit qu'il était dans une impasse. Sans preuve matérielle, il serait impossible de mettre en cause Amir et ses fils.

– Combien de voitures avez-vous ?

– Beaucoup. Voitures casse, ajouta-t-il avec un grand sourire.

– Mais qui vous appartiennent en propre ?

– Une Saab, une Volvo vieille, une Mazda, une Mercedes quand veux aller baigner dans golfe Persique.

– Dans le golfe Persique ?

– Oui : à Sibbarp.

Sibbarp ? Le visage d'Amir se fendit d'un large sourire et Hjalle imagina la scène. Tout avait commencé lorsque des familles arabes s'étaient réunies autour d'un barbecue improvisé sur cette petite plage située près de la culée du pont sur le Sund. Une culture n'avait pas tardé à s'y développer, avec transat et narguilé pour le père de famille et les femmes agenouillées en cercle autour de lui et du barbecue. Ils étaient maintenant des centaines à fréquenter l'endroit et, pour les démagogues qui parlaient toujours de l'islam comme du « grand péril », ces familles arabes réunies là par un beau jour d'été étaient l'image même de l'invasion musulmane, plus seulement un « péril » mais un « fait avéré ». Jamais personne, aussi doué d'imagination fût-il, n'aurait pu prévoir que le Sibbarp de son enfance, où il jouait dans l'herbe avec ses frères et sœurs, où il avait appris à nager et à plonger pour aller chercher des pierres au fond de l'eau toujours tiède de Pisseviken*, serait un jour le terrain de jeu de petits Arabes et le lieu de réunion d'hommes en train de fumer le narguilé et de femmes en foulard et longue tunique noire.

Or, n'était-ce pas précisément dans cette inaptitude à prévoir l'avenir que résidait l'espoir ultime de l'humanité ?

---

* D'où la plaisanterie, Pisseviken se muant facilement en Persiska Viken (golfe Persique).

– De quelle couleur sont-elles ?

– Verte, bleue, noire et rouge.

– Laquelle est rouge ?

– Mazda.

– Arrive-t-il à vos fils de les conduire ?

Amir éclata du même rire que tous les parents qui se voient rappeler l'impossibilité d'imposer des limites à leurs enfants.

– Garçons arabes… parfois faire quoi papa et maman pas vouloir.

– Ont-ils le permis de conduire ?

– Abou, oui.

– A-t-il emprunté une de vos voitures samedi soir ou dans la nuit de samedi à dimanche ?

– Eux maison toute soirée. Regarder télévision. Émission arabe avec famille.

Toute la soirée ? C'est ce qu'on va voir, mon ami.

– Et vous et Yasmina ? Quels rapports aviez-vous avec elle ?

Le visage d'Amir se figea à nouveau, le sphinx était de retour, de même que la voix monocorde.

– Jadis, longtemps avant. Quand elle quitté famille, elle plus exister. Elle morte, on peut dire.

Hjalmar et Monica étaient assis dans le bureau du premier. L'audition des parents de Yasmina avait été remise à plus tard. Un interprète de langue arabe avait en effet fait savoir que ni l'un ni l'autre n'était en état d'être interrogé et on procéderait à une nouvelle tentative le lendemain, à l'hôpital. Ils étaient tous deux au service des urgences psychiatriques, où on les aidait à surmonter le choc que leur avait causé la nouvelle de ce qui était arrivé à leur fille. De plus, le fait qu'ils aient réagi comme ils l'avaient fait les rendait beaucoup moins intéressants du point de vue de l'enquête, selon Hjalle.

– Ça commence à sentir le roussi, non ?

– C'est le moins qu'on puisse dire, répondit Hjalle en buvant une gorgée de café très noir. Il faut passer la vitesse supérieure. La Mazda rouge d'Amir, il faut qu'Alm ou un de ses collègues aille la voir de près. Tu t'en charges ?

– Oui.

– Et la perquisition chez Angela ?

– On ne sait pas encore. Ils devraient être de retour d'une minute à l'autre.

Au même moment, le téléphone sonna. Hjalle décrocha. Personne ne prit la parole, mais il sentit la présence de quelqu'un au bout du fil.

– Allô, qui est à l'appareil ?

Il regarda gravement Monica. Il avait demandé au central de ne lui transmettre que les appels ayant trait à l'affaire Yasmina. Or, il entendait nettement quelqu'un respirer, à la manière d'un enfant, dans l'écouteur.

– C'est moi, finit par dire une petite voix.

– Qui ça ?

– Alisa.

Qui était-ce, cette enfant ?

– La petite sœur de Yasmina.

Il voyait maintenant devant lui la fillette aux yeux vifs et intelligents venue lui ouvrir la porte et que les circonstances avaient obligée à faire connaissance avant tous les autres avec l'horreur.

– Bonjour, Elisa, qu'est-ce que tu veux ?

– Alisa.

– Alisa, pardon. Qu'est-ce qu'il y a ?

– Je voudrais vous dire une chose mais je ne veux pas que ça fasse du mal à quelqu'un. Une chose que j'ai vue.

– Quoi ?

– Je ne veux pas qu'on sache que j'ai appelé. Je veux être… *aninyme.*

– Anonyme, bon. Je te promets que personne ne le saura. Qu'est-ce que tu as vu ?

Hjalle perçut alors des bruits de pas, en fond sonore, et l'appareil fut brusquement raccroché. Monica le regarda avec curiosité.

– Qu'est-ce qui se passe ?

– Alisa, la petite sœur de Yasmina, a appelé. Elle voulait me parler de quelque chose qu'elle a vu, mais elle a raccroché. Je pense que c'est parce que quelqu'un est entré dans la pièce.

– On y va ?

Hjalle but une nouvelle gorgée de café et se rejeta en arrière sur sa chaise. Il avait du mal à se concentrer, à braquer son attention dans une direction précise, comme s'il était tiraillé de tous les côtés. Et, pour rendre la chose encore plus difficile, Alm pénétra en coup de vent dans le bureau, sans se donner la peine de frapper. Il alla se poster devant Hjalle pour lui annoncer les dernières nouvelles.

– La Mazda a disparu. Elle n'est pas dans la rue ni même dans la casse. Il dit qu'elle a sans doute été volée, car il y a beaucoup de vols de voitures dans le quartier. Nous avons signalé cette disparition. Quant à la perquisition chez Angela Philipsson, on a ramené un sac d'une dizaine de comprimés d'ecstasy et vingt grammes de canna-bis. Elle est dans le foyer, avec son père. On a aussi trouvé quelque chose qui ressemble à un journal intime.

Mon flair n'est donc pas totalement émoussé, pensa Hjalle.

– Qu'est-ce que j'avais dit, hein ?

– Dès qu'on aura retrouvé la voiture, on la passera au peigne fin.

– Parfait, Alm. Et merci. Mais il n'est pas totalement interdit de frapper, avant d'entrer. Ça se fait, tu sais.

– Qu'est-ce que vous feriez sans les types comme moi, vous les enquêteurs ? Alors ferme-la, ajouta-t-il en souriant de toutes ses dents avant de disparaître.

– Je me charge d'Angela. Toi, reste ici, au cas où Alisa appel-lerait à nouveau. Dis-lui qui tu es et n'oublie pas que tu parles à une enfant. Alors : douceur, gentillesse, inspirer confiance.

– T'inquiète, répondit Monica, avant de répéter ces mêmes mots sur le mode ironique : douceur, gentillesse, inspirer confiance. On croirait entendre un politicien.

– Un politicien ? Il ne manquerait plus que ça ! À tout à l'heure, dit-il en s'éclipsant rapidement.

En le regardant partir, elle se dit soudain qu'il n'était pas si désagréable à regarder, qu'il avait de l'humour, qu'il était chaleu-reux et capable de réflexion – qualités qu'elle n'avait pas tellement l'habitude d'associer au sexe dit fort.

Angela Philipsson semblait très ébranlée. À côté d'elle était assis son père, homme dans la cinquantaine vêtu d'une chemise bleu clair à manches courtes dont le col était ouvert. Il portait aussi un jean très délavé, et son visage et ses bras affichaient un bronzage parfait.

– J'étais présent lorsque vos agents sont arrivés et je ne peux m'empêcher de penser que vous avez procédé avec brutalité. Je n'ai jamais vu une chose pareille. On a vraiment le droit de pénétrer ainsi chez les gens, dans ce pays ? Enfoncer les portes et ordonner ceci et cela aux occupants ?

Le visage du père trahissait une réelle colère, mais Hjalle ne se laissa pas impressionner. S'il y avait quelqu'un qui savait trouver le ton qu'il fallait, c'était bien lui.

– On avait de bonnes raisons, non ? Si vous voulez bien avoir l'amabilité de me suivre.

– J'exige la présence d'un avocat.

– Aucune objection. Dites-lui seulement qu'il doit être ici dans une demi-heure.

Le père prit son portable et composa un numéro. La façon dont se déroula la conversation prouva qu'il s'agissait d'un bon ami à lui. Quarante-cinq minutes plus tard, ils étaient tous dans la salle d'audition : Hjalle, Angela et son avocat, la quarantaine légèrement chauve, que Hjalle avait croisé lors de divers procès et qui était très demandé pour s'être fait une réputation d'habile défenseur. Il se souvenait en particulier l'avoir vu mettre en pièces le témoignage d'une jeune fille violée en se concentrant sur sa tenue vestimentaire et ses habitudes sexuelles. Au final, les faits « n'avaient pu être avérés ».

– Voulez-vous nous dire comment cette drogue est arrivée chez vous, Angela ?

– Je ne sais pas, répondit-elle en regardant son avocat qui, à son tour, dévisagea Hjalle.

– J'espère que vous êtes consciente de la gravité de la situation, hein ?

Elle hocha la tête avec un air de défi, manifestement sûre de se tirer d'affaire, avec l'aide de son père.

– Vous dites que vous ne savez pas, est-ce tout ce que vous avez à déclarer à ce sujet ?

– Ma cliente a déjà répondu.

– C'est vrai, mais pas de façon satisfaisante, à mon avis. La drogue était astucieusement dissimulée et ne peut pas être arrivée là toute seule. Est-ce vous ou Yasmina qui l'avez mise là ?

Angela Philipsson baissa les yeux et rougit légèrement, sans perdre contenance pour autant.

– Ni l'une ni l'autre.

– Qui, alors ?

– Elle vous a déjà dit qu'elle ne sait pas.

– Je ne me contente pas de cette réponse. Nous enquêtons sur un meurtre, c'est du sérieux et nous ne sommes pas en train de jouer aux devinettes, maître.

Hjalle regarda Angela droit dans les yeux. Il savait qu'elle n'était pas assez solide pour résister très longtemps. Ce n'était pas une criminelle endurcie dont l'existence entière était un tissu de mensonges, mais une belle lycéenne qui, si elle allait en prison, risquait de ruiner ses perspectives d'avenir et d'attirer la honte sur sa famille.

– Si vous me dites ce qu'il en est, nous pourrons réévaluer un peu la quantité de drogue trouvée chez vous, Angela. Vous n'ignorez pas que nous avons trouvé des traces d'ecstasy dans le sang de Yasmina. Ça fait longtemps que vous en consommez ?

L'avocat regarda sa cliente d'un air qui se voulait encourageant.

– On nous l'a donnée.

– Qui ça ?

– Je ne sais pas...

– J'ai dit : qui ça, Angela ? Et pour combien ?

– Gratuitement.

– Qui ?

Soudain, elle sembla prendre peur et la jeune fille de dix-neuf ans qui avait paru si sûre d'elle se changea en une frêle adolescente paniquée.

– Je ne peux pas le dire.

– J'espère que vous comprenez que cet argument n'est pas recevable en droit.

Le silence se fit. L'avocat regarda Angela d'un air de supplication et, honteuse comme un petit enfant pris sur le fait, elle finit par lâcher :

– Dragan.

– Dragan qui ?

– Je ne connais que son prénom.

– Allez, Angela. Dites-nous son nom.

– J'ai peur.

– Vous n'avez aucune raison.

– Dragan Lobocevic.

– Dragan Lobocevic. Qui est-ce ?

– Un type qui fréquentait Yasmina et qu'on voyait à Slagthuset.

– Et c'est maintenant que cela vous revient, deux jours et demi après la mort de votre meilleure amie ?

– Ce n'est pas Dragan. Il est gentil et n'a rien à voir avec sa...

– Un gentil garçon qui offre de la drogue aux jeunes filles pour coucher avec elles, c'est ça ?

– Objection ! s'écria l'avocat, semblant soudain se réveiller. Je ne peux admettre ce genre d'insinuation.

– Dragan est donc « gentil ». Il vous offre de la drogue. Qu'est-ce que vous lui avez donné en retour, Angela ? rectifia Hjalle.

– Rien. On l'a seulement accompagné dans ses endroits favoris, le club Privé et Slagthuset.

– Avez-vous couché avec lui ?

– Pas moi, en tout cas.

– Et Yasmina ?

– Je crois que oui.

– Vous croyez ?

– Oui. Ils ont été ensemble, pendant un moment. Il était amoureux d'elle, lui aussi.

– Vous voulez dire : comme vous ?

Le beau visage d'Angela afficha une rougeur très seyante.

– Non : comme Niclas Hjälm, dont je vous ai déjà parlé.

Ses défenses avaient été emportées et maintenant elle parlait à cœur ouvert en regardant Hjalle droit dans les yeux, sans se soucier de ce qu'avait à dire son avocat.

– C'est avec Dragan qu'elle bavardait, au bar, avant de partir.

– Il l'a suivie ?

– J'ai oublié de vous dire que j'y étais, moi aussi. Ils se sont disputés.

– À propos de quoi ?

– Il lui a dit qu'elle était ivre, qu'elle était vulgaire. Et je l'ai approuvé. Alors, elle s'est mise en rogne contre nous. Elle n'était pas dans son assiette, selon moi.

– Où preniez-vous les pilules ?

– Dans les toilettes des filles. Moi, je n'ai rien pris, ce soir-là. J'étais en forme et je ne voulais pas mélanger avec le vin.

– Mais elle, elle était bien partie, non ?

– Oui.

– À quel point ?

– Ça se voyait à ses yeux. Elle marchait droit, mais ses yeux... Et puis elle était ailleurs, on avait du mal à lui parler. Je crois qu'elle avait peur que ses cousins soient là et ça la rendait dingue.

– Ce Dragan, comment le décririez-vous ?

– Bien de sa personne, drôle, sans doute pas une lumière mais gentil et attentionné.

– Ils étaient toujours ensemble, ce soir-là ?

– Elle voulait rompre avec lui.

– Et alors ?

– Ça ne lui a pas plu, il s'est senti floué. Et, comme il était très jaloux, eh bien…

– Eh bien, quoi ?

– Rien.

– Dites-le.

– Je ne me souviens pas exactement, mais il a laissé entendre qu'il faudrait qu'elle paye tout ce dont il lui avait fait cadeau.

– De combien pouvait-il s'agir ?

– Pas mal, à mon avis.

– Cent mille ?

– Non, vingt ou trente, peut-être.

– Quand l'avez-vous vu pour la dernière fois, ce soir-là ?

– Au bar, en train de parler avec un copain, pendant que Yasmina gagnait la sortie. J'ai cru qu'elle allait aux toilettes.

– Y avait-il une menace qui planait sur elle ?

– Je n'en ai pas eu l'impression, sur le moment…

– Et maintenant ?

– Peut-être. *Un peu**.

– Qu'est-ce qu'il a comme voiture, Dragan ?

– Il en a plusieurs. Je suis désolée, je n'y connais rien en voitures.

– Une rouge ?

– Je ne sais pas. Sûrement.

– Où peut-on le trouver ?

– Chez lui. Ou au club.

– Quel club ?

– Un club d'échecs de Parkgatan qui s'appelle Bosna. Il y est en général quand il n'est pas chez lui.

– Qu'est-ce qu'il fait, dans la vie ?

– Je ne sais pas. Je crois qu'il a une entreprise.

---

* En français dans le texte.

De retour dans son bureau, Hjalmar regarda sa montre. Comme Dragan Lobocevic ne répondait pas au téléphone de son domicile, il suggéra à Monica d'effectuer une visite au club qu'il fréquentait, d'après Angela Philipsson, dont le père avait quitté l'hôtel de police en jurant qu'il « prendrait des mesures » si sa fille n'était pas relâchée immédiatement. Elle était donc repartie libre, mais Hjalle leur avait fait comprendre qu'elle devait s'attendre à une mise en examen pour détention de stupéfiants. Et il se rappelait avoir lancé que « la loi était la même pour tous, à ce qu'il sache », avant de regagner triomphalement son bureau où, pourtant, un sentiment de découragement n'avait pas tardé à s'emparer de lui, car ils ne s'étaient pas rapprochés d'un millimètre de la résolution de l'affaire. Alisa n'avait pas rappelé et la voiture d'Amir n'avait toujours pas été retrouvée. Tandis que Monica s'éloignait pour se sustenter un peu, il prit place à son bureau, alluma son ordinateur et chercha le nom de Dragan Lobocevic. Il finit par le trouver en marge de diverses affaires de drogue, sans qu'il ait jamais été condamné pour quoi que ce soit. Dans tous les cas il s'agissait de comprimés d'ecstasy. Quand il eut terminé, il se mit à feuilleter le journal intime de Yasmina, d'abord de façon un peu distraite puis avec un intérêt croissant.

28 août. À la plage toute la journée. Je lis, me baigne et rêve. Voudrais partir. Aux États-Unis ou en France. Dans un endroit sûr. Mais, en même temps, j'aurais de la peine de quitter papa et maman. Alisa. Les petits. Il y a des moments où j'ai l'impression que je vais tomber en morceaux, me fendre en deux. Dragan est venu avec Boris. Ils sont drôles, gentils. Toujours à blaguer. On a plongé et on s'est embrassés sous l'eau. Est-ce que je l'aime ? Non. Mais j'aime bien jouer avec lui. Plonger, rire, faire l'amour. Je continue à lire le Coran. Sourate Al Ma-Ida : « Purifiez-vous après la cohabitation, avec vos épouses*... » Purifiez-vous ? Cela implique une souillure. Une chance que Dragan ne soit pas musulman. Aujourd'hui, j'ai eu le sentiment qu'Angela s'intéresse à lui et qu'elle me ment.

Allah est grand. Sans aucun doute, mais Edith aussi : « Le soleil

---

* *Le Coran*, sourate 5, verset 9 (Traduction Kasimirski, Garnier-Flammarion, 1970, p. 106).

remplit jusqu'au bord ma poitrine d'un miel exquis et dit : un jour toutes les étoiles s'éteindront ; et pourtant elles continuent de briller sans crainte[*]. »

Et moi ? Je sens que je brille et que j'illumine mon entourage. Mais ce n'est pas sans peur. Je ne sais pas ce que je redoute, seulement que j'ai peur.

2 septembre. Le père d'Angela lui donne du c. Je trouve curieux qu'un père donne ça à sa fille. On se dispute. Elle veut fumer tous les jours. Moi, je désire seulement prendre de l'ecstasy quand on sort. Et si on danse. Me dispute avec Dragan au téléphone. Il est au club, comme toujours, pour jouer au poker et aux échecs avec ses copains. Je veux que tu viennes, je lui dis, et faire l'amour avec toi. Lui : plus tard, plus tard. Je réponds non, plus tard ça n'existe pas. Après, il sera trop tard. J'ai envie de toi tout le temps. Allah voit-il tout ? Même mon désir ? Ma soif de vie et d'amour, ce qui brûle en moi. Est-ce qu'il le voit ? « Sachez que Dieu connaît ce qui est dans votre cœur ; sachez qu'il est indulgent et miséricordieux[**]. » Qu'est-ce que cela veut dire ? Qu'on peut faire l'amour avec quelqu'un sans aimer cette personne ? Que ce que je fais avec Dragan – et que j'aime beaucoup faire – est quelque chose qu'il pardonne ? Indulgent et miséricordieux ? J'ai demandé à Dragan de punir Amir. Je ne lui pardonnerai jamais, je veux une forme ou une autre de vengeance ou de justice. Cette nuit, je me suis réveillée à quatre heures et demie et il était là, sur moi, en sueur, écœurant. J'aurais aimé le tuer pour ça. Le Coran le permet. Œil pour œil. J'aimerais le voir violé. Sodomisé à l'arabe. Pardonne ces pensées, Allah. Pardonne-moi, Dieu.

Il s'apprêtait à poursuivre sa lecture lorsque le téléphone sonna, mais ce fut pour entendre le même silence que quelques heures plus tôt. Il écarta le journal de la main et tint le combiné avec douceur, comme s'il espérait, de la sorte, éviter d'effrayer la fillette.

– Alisa ?

– Oui...

---

[*] *Triomphe d'exister*, extrait de *La Lyre de septembre*, traduction David Jauzion-Graverolles, in *Le Nouveau Recueil*, n° 63, juin-août 2002, p. 53.
[**] *Le Coran*, sourate 2, verset 236, (p. 64 de l'édition citée en référence).

– C'est encore toi ?

– Oui. Tout à l'heure, ma grand-mère est arrivée, c'est pourquoi je n'ai pas pu terminer.

– Et maintenant, tu es seule ?

– Oui, avec mes petits frères et sœurs, mais ils jouent dans la pièce d'à côté. Je veux être *aninyme*, parce que j'ai peur de Hamid et Abou. Comme Yasmina, mais je veux vous aider...

– Je garantis ton anonymat, Alisa. C'est promis. Qu'est-ce que tu veux me dire ?

Silence au bout du fil.

– Alisa, tu es toujours là ?

– Oui...

– Qu'est-ce que tu veux me dire ?

– Hamid et Abou...

– Eh bien, qu'est-ce qu'ils ont, tes cousins ?

– Ils sont sortis en voiture, celle d'Amir, samedi soir. Ça leur arrive de temps en temps.

– Tu sais quand ils sont rentrés ?

– Oui. Je me suis réveillée en les entendant se disputer dans la rue. Je les ai vus et j'ai regardé l'heure à la pendule avant de me rendormir. J'en ai une que mon papa m'a offerte quand j'ai eu onze ans, sur le mur...

– Quelle heure était-il ?

– Deux heures et demie, souffla la fillette à voix basse, comme si elle révélait quelque chose qui risquait de lui causer des ennuis.

– Je te remercie, Alisa. Est-ce que tu as quelque chose d'autre à me dire ?

– Qu'est-ce qui va arriver à mon papa et ma maman ?

– Je ne sais pas, Alisa. Je vais leur parler, quand ils iront mieux. C'est pour bientôt, je crois. Mais tu peux m'appeler, tu sais, si tu as besoin de bavarder. Tu as mon numéro, n'est-ce pas ? Celui de mon portable aussi ?

– Oui.

Alisa raccrocha. Au même moment, Alm et Monica pénétrèrent dans le bureau.

– On l'a retrouvée, cette foutue bagnole. Elle était près du stade de Bellevue. On est en train de la fouiller, sache-le.

– Bien. Bonne chance.

Alm se retira.

– Et maintenant, au tour de Dragan Lobocevic. Viens, dit-il en prenant paternellement Monica par l'épaule.

– Lis tout haut ce qu'elle a écrit le 3 septembre. Ce sont ses dernières paroles.

Tout en enfilant Exercisgatan, Hjalle tendit le petit journal de Yasmina à Monica, qui l'examina avant de s'exécuter.

– Ça me rappelle l'époque où j'en tenais un moi-même, pendant quelques années. C'est curieux, il y avait des moments où ça me semblait plus important que de vivre et de faire des choses.

– Bizarre, en effet. Mais lis donc, insista-t-il.

– « *3 septembre. Nouvelle dispute avec Angela. Je vois et je sens qu'elle me ment, à propos de Dragan. Elle a une rougeur sur la gorge, quand elle ment. Mais je m'en fiche, maintenant. Je n'aime pas Dragan, je veux faire l'amour avec lui. Je veux brûler, sans cesse. Drôle de sensation. Comme si j'avais mauvaise conscience de mon indifférence ou si je ne respectais pas la vie, en quelque sorte. Je continue à lire. Le Coran et la Bible, deux versions de la même chose. Il n'y a que les noms qui changent : Jésus / Isa, Abraham / Ibrahim, Marie / Myriam. C'est marrant, ce genre de parallélisme. Quant à savoir lequel de ces deux livres est le plus misogyne… Aujourd'hui, j'ai trouvé ceci :* "Les femmes sont votre champ. Cultivez-le de la manière que vous entendez*…" *C'est insensé ! Si ce n'est pas du mépris, ça ! Mais la Bible vaut-elle mieux, à vrai dire ? À qui me confier ? J'aimerais avoir une habib, une fille qui me comprendrait – en tout. Angela est bien. Elle est chouette. Sans elle, je ne serais rien. Mais elle ne comprend pas la vie. Elle ne sait pas à quel point elle peut être moche, de quelles bassesses les êtres humains sont capables. Pour elle, il y a toujours un cours à suivre, un père qui vous vient en aide, un membre de la famille qui… Je lui ai parlé de Sabra et Shatila. Elle comprend, bien entendu, et pourtant elle ne comprend pas. La cruauté et le sadisme des Israéliens. Personne ne veut comprendre, on dirait que c'est interdit, qu'ils nous tirent comme des lapins… J'ai envie de partir, envie… de quoi, au juste ? De Dieu ou d'Allah ? Il y a des moments où j'ai l'impression que je désire mourir. Quand je suis au comble du bonheur, quand j'approche de l'extase – dans la danse – j'ai le sentiment d'être près de la mort. C'est une habib, une copine qui ne*

---

* *Le Coran*, sourate 2, verset 223, p. 62.

trahit jamais. Bizarre. Demain, à Slagthuset. Je suis inquiète. Pour moi, Angela et Dragan. Il faut que je rompe mais je ne veux pas qu'elle se mette avec lui. Je ne sais pas pourquoi mais je ne veux pas. Je ne veux pas ! »

Monica acheva sa lecture tandis que Hjalle effectuait un créneau pour se garer devant l'Amicale Bosniaque, dans Parkgatan.

– Une chose est certaine, dit-elle pensivement. Elle n'était pas bête, cette fille. Elle en avait dans le ciboulot.

– C'est sûr, approuva Hjalle qui revit l'image de Yasmina, son beau visage aux longs cils. Raison de plus pour mettre la main sur le ou les salauds de coupables.

– Elle cherchait la vérité dans les différentes cultures. Elle était ce que les sociologues appellent *halfie*, une personne tiraillée. Je connais ça, moi aussi, dit-elle en regardant Hjalle avec un air de totale sincérité, comme si les paroles de Yasmina l'avaient amenée à réfléchir sur sa propre existence. On croit qu'on est à tel endroit et pourtant pas. Ailleurs non plus. On n'est nulle part, en un certain sens...

Hjalle l'observait avec curiosité. Il ne savait rien de son passé, mais il se doutait qu'il n'était pas très simple.

La fumée de cigarette était si épaisse que Hjalle distinguait à peine ce qui se passait. Au fond de ce brouillard, il aperçut pourtant un groupe d'hommes : deux d'entre eux étaient assis et six ou sept debout autour d'un échiquier sur lequel des mains déplaçaient des pièces avec des gestes d'une rapidité qui déclenchait des exclamations. Accompagnées du bruit de la danse des pièces sur l'échiquier, elles enflèrent soudain : quelqu'un venait de mettre son adversaire échec et mat et la déception le disputait à la joie parmi l'assistance. Un homme d'un certain âge à la longue barbe blanche expliqua alors comment le perdant aurait dû s'y prendre pour éviter la défaite.

Hjalle s'interposa avec l'autorité dont il était capable.

– Dragan Lobocevic ?

Les hommes le dévisagèrent, surpris et comme tirés d'un ensorcellement. Aucun d'entre eux ne répondant quoi que ce soit, Hjalle répéta sa question.

– Dragan Lobocevic est-il là ?

Le vieillard à barbe blanche fut le premier à répondre.

– Et vous, qui êtes-vous ?

– Hjalmar Lindström, de la Criminelle.

– C'est moi. Qu'est-ce que vous me voulez ? dit l'un des joueurs en se levant de table et en se dirigeant vers lui.

Il était grand, brun et mal rasé, et avait des yeux qui semblaient voilés. Hjalle l'imagina facilement en compagnie de Yasmina. Ou d'Angela. Il était bien habillé, portait un pantalon repassé de frais, une veste noire et une chemise en soie de la même couleur qui luisait dans ce local enfumé.

– Nous aimerions échanger quelques mots avec vous. De préférence en particulier.

– Bien sûr. Venez par ici.

Il les introduisit dans une pièce plus petite où un certain nombre de coupes, dans une vitrine, attiraient l'attention.

– Du café ?

– Volontiers.

– Et vous ?

– Oui, merci, répondit Monica.

Un moment plus tard, ils étaient seuls tous les trois. Par un soupirail, on apercevait les passants, dans la rue.

– C'est au sujet de Yasmina, non ?

– Vous savez ce qui s'est passé ?

Une lueur de tristesse passa dans le regard de Dragan et Hjalle eut l'impression qu'elle était sincère. Les années lui avaient appris à distinguer quand les gens faisaient semblant et quand c'était vrai – du moins en matière de sentiments. En revanche, il n'avait aucune illusion sur la question de savoir s'ils disaient la vérité ou non. Au début de sa carrière, il s'était fait une certaine idée – qu'il considérait maintenant comme romantique – de l'aspect que revêtait le visage de ceux qui ne mentaient pas. Mais il y avait longtemps de cela. Des centaines d'interrogatoires lui avaient appris que c'était une erreur. Pourtant, il était difficile de se tromper sur le chagrin authentique et ce Dragan Lobocevic affalé sur le canapé de l'Amicale Bosniaque était sûrement très triste, cela ne faisait aucun doute.

– Oui…

– Vous étiez ensemble, n'est-ce pas ?

– Oui…

– On dirait que vous hésitez.

– Non. Et oui : on a été ensemble pendant six mois et j'aurais voulu continuer, mais elle…

Il avait du mal à s'exprimer. Les mots se bousculaient dans sa bouche comme s'il devait lutter pour retenir ses larmes. Il évitait de regarder Hjalle et Monica dans les yeux et fixait le soupirail.

– … c'est ce qui est arrivé de mieux dans ma vie. Je l'aime.

Il s'interrompit et Hjalle tenta de capter son regard. De la pièce d'à côté leur parvint une cascade de rires suivie de commentaires lancés d'une voix forte.

– … Je l'aimais, rectifia Dragan. Elle était formidable. Intelligente, vive d'esprit. On n'avait pas prise sur elle.

– Comment ça ?

– Si elle avait décidé de te remettre en place verbalement, on ne pouvait pas suivre. Mais elle était inquiète. Et moi, j'étais inquiet pour elle. Elle était sans arrêt sur ses gardes.

– À cause de ses cousins ?

– Pas seulement eux. C'était dans sa nature. Quelque chose qui ne tenait pas en place, toujours en mouvement. Je crois qu'elle était trop intelligente, en fait. Elle n'était à sa place nulle part.

– Que pensez-vous de ses cousins ?

– C'est des petits mecs. Forts en gueule. Mais on les a matés, un jour, il y a un mois.

– Pourquoi ?

– Ils avaient été encore pires que d'habitude avec elle. Alors, avec des copains, on leur a réservé un traitement à notre façon. Pas au point de les empêcher d'aller au bahut le lundi, cependant.

– Et Amir, leur père ?

– Eh bien, quoi ?

– Vous lui avez mis la raclée, à lui aussi ?

– Pourquoi me demandez-vous ça ?

– Dans son journal, elle dit qu'elle vous a demandé de le punir de ce qu'il lui a fait…

Il but une gorgée de café, pour se donner le temps de réfléchir. Peut-être était-ce le joueur d'échecs en lui qui était aux aguets. Il avait lâché un certain nombre de mots et de phrases en laissant parler ses sentiments, sans se soucier de ce que cela risquait d'impliquer pour lui. Or, il semblait soudain se mettre à calculer et méditer ses coups.

– Avez-vous projeté quelque chose, Dragan ? Vous êtes peut-être même déjà passé à l'action ?

– Non. Elle me l'a demandé, c'est vrai, mais je n'ai rien fait.

Hjalle regarda Monica comme pour lui passer le relais et elle le prit.

– Parlez-nous un peu de samedi soir.

– On a commencé ici, comme d'habitude. Boris, Predrag, moi et d'autres on a fait quelques blitz. Puis on est allés à Slagthuset vers minuit et on est restés jusqu'à la fermeture.

– Qu'est-ce qui s'est passé, là-bas ?

– Y avait beaucoup de monde. Angela et Yasmina sont arrivées vers minuit et demie. On était à la discothèque. Moi, j'étais au bar avec mes copains, les filles en haut, à danser sans arrêt.

– Et vous, vous ne dansez pas ?

– Non. *Tough guys don't dance**, pas vrai ? répondit-il avec un sourire. Si, parfois. Mais, samedi, j'étais trop fatigué.

– Pourquoi ?

– J'avais bossé depuis sept heures du matin dans la boutique.

– Quelle boutique ?

– Un commerce de proximité que j'ai, dans Bergsgatan. De sept heures à quatre heures, ensuite des blitz pendant six heures…

– Six heures ?

– C'est pas grand-chose. Quand on joue, le temps passe vite. Mais on fatigue, on se prend ce que j'appelle la « tête à échecs ».

– Vous avez beaucoup bu ?

– Quelques bières seulement. J'étais venu en voiture.

– Rien d'autre ?

– Qu'est-ce que vous voulez dire ? demanda-t-il d'un air méfiant.

Hjalle reprit le commandement des opérations.

– Dragan, Yasmina avait de la came dans le sang, dit-il en le regardant droit dans les yeux, mais le joueur d'échecs était maintenant sur ses gardes.

– Et alors ? Qu'est-ce que j'ai à voir là-dedans ?

– Nous avons des raisons de croire que c'est vous qui lui fournissiez de l'ecstasy.

---

* Les durs ne dansent pas.

69

– Pas du tout.

– Votre nom a été cité dans diverses enquêtes, par le passé…

– Je n'ai jamais été condamné pour quoi que ce soit ! cracha-t-il par-dessus la table. Ne venez pas me jeter des accusations à la face comme ça. Pourquoi ne posez-vous pas la question au père d'Angela ? Parce qu'il est médecin et vit dans le quartier chic ? C'est la ritournelle habituelle : un sale petit immigré yougo, c'est forcément un dealer, hein ?

Hjalle décida de laisser tomber le sujet, pour l'instant, bien conscient que la perquisition qui se déroulait pendant ce temps chez Dragan confirmerait ou non s'il se livrait au trafic de stupéfiants.

– Comment ça s'est passé entre Yasmina et vous, samedi dernier ? demanda-t-il sur un ton plus aimable.

– Pas terrible.

– Qu'est-ce qui n'était pas terrible ?

– Elle voulait rompre, finit par lâcher Dragan.

En prononçant ces mots, il se remémora son plus beau souvenir, cette nuit d'été où ils avaient quitté le Privé vers deux heures, avaient filé à Ribersborg, s'étaient retrouvés seuls sur la plage, s'étaient baignés nus et avaient fait l'amour dans l'herbe avant qu'elle ne s'endorme.

Il était resté assis à côté d'elle, avait allumé une cigarette et s'était contenté de la regarder et d'être heureux, tandis que les premiers rayons du soleil venaient caresser ses fesses, ses cheveux, sa poitrine. Il n'avait jamais rien vu ni connu d'aussi beau. Et ce matin magique lui revenait maintenant en mémoire. Combien de temps était-il resté dans cette position ? Une heure ? Deux ? Il se rappelait aussi le sentiment de tristesse qui se lovait sous la joie et le bonheur : ça ne durera pas, Dragan, elle te quittera.

– Et alors ?

Il fut tiré de ses pensées.

– C'est ce qu'elle a fait, au bar.

– Vous étiez seuls, à ce moment-là ?

– Oui…

– Vous avez l'air de ne pas être très sûr.

– Je suppose qu'Angela était là, elle aussi.

– Vous ne vous souvenez pas exactement ?

– Non.

– Pourquoi voulait-elle rompre, d'après vous ?

– Je ne sais pas...

– Si, vous le savez, Dragan, n'est-ce pas ?

Hjalle regarda avec insistance le jeune homme assis en face de lui.

– Yasmina sentait qu'il y avait quelque chose entre Angela et vous et c'est pour ça qu'elle a rompu, hein ?

– Peut-être.

– Comment avez-vous réagi ?

– Je lui ai dit qu'il n'y avait rien entre Angela et moi, et puis d'aller se faire...

– Et elle est partie ? C'est à ce moment-là ?

– Oui.

– Quelle heure était-il ?

– Deux heures, je crois.

– L'avez-vous vue quitter l'établissement ?

– Non, seulement se diriger vers le vestiaire.

– Qu'est-ce que vous avez comme voiture ?

– Une Porsche.

– Les affaires marchent bien, donc.

– Ces crétins d'immigrés ne sont capables que de vendre de la came et d'attaquer les personnes âgées, hein, pouffa Dragan avec mépris. En revanche, ils sont incapables de bosser, comme mon père, qu'on est allé chercher à Mostar dans les années 50 et qu'on a fait venir ici, à Malmö, pour qu'il se crève la paillasse chez Kochum pendant trente ans. Jusqu'à ce qu'il ait le dos en compote. Pas possible, hein, de bosser, d'épargner et d'être un bon Suédois, quand on s'appelle Lobocevic ? Vous savez sous quel nom je me suis fait embaucher, la première fois ? Arne Jönsson. Alors, allez vous faire voir avec vos accusations.

– Excusez-moi, Dragan, je n'aurais pas dû dire ça. Elle est de quelle couleur, votre Porsche ?

– Rouge, maugréa-t-il. Pourquoi ça ?

– Vous n'auriez pas eu l'idée de reconduire Yasmina chez elle, par exemple ?

– Non, je l'ai pas eue, je suis resté à Slagthuset jusqu'à la fermeture.

– Et ensuite, vous êtes rentré chez vous, avec Angela, n'est-ce pas ?

Dragan refusa de répondre à cette dernière question et resta assis sur le canapé sans rien dire.

– Demandez à Predrag ou à Boris : je suis resté à Slagthuset.

– Parfait, Dragan. Merci d'avoir répondu à nos questions. Si nous en avons d'autres à vous poser, nous reviendrons vous trouver.

Alm était assis en face de Hjalle. Monica tira une chaise et prit place en bout de table. La façon dont Alm avait fermé la porte derrière lui sans se contenter de leur balancer ce qu'il avait à dire leur inspira un certain optimisme : il avait du nouveau.

– On a passé la voiture d'Amir au peigne fin. Et on a trouvé ça, dit-il en posant un châle multicolore sur la table. C'était sur le siège arrière avec pas mal d'autres trucs. Et une bonne quantité de ses cheveux.

– Un foulard ? Mais elle ne porte pas ce genre de… comment dit-on, déjà ?

– *Hijab*. Si, ça lui arrivait. Gaja m'en a parlé quand je l'ai appelée pour l'interroger à propos d'Angela. Elle a mentionné ça de sa propre initiative, comme une curieuse habitude qu'avait Yasmina. Elle venait à l'école avec son *hijab* mais, souvent, elle l'enlevait une fois arrivée. Gaja voyait là une façon pour elle de jouer avec ses différentes identités : elle les adoptait à tour de rôle, quand elle le voulait.

– Bon, mais à Slagthuset ?

– Même chose. Toujours d'après Gaja, il lui arrivait de faire la queue à l'entrée avec son *hijab*. Pas seulement pour jouer avec ses identités, mais pour provoquer. Elle aimait bien ce genre-là : *hijab* ET minijupe. Faut le faire, non ?

Hjalle prit le foulard et le renifla.

– C'est le même parfum que celui qu'elle portait quand on l'a trouvée, précisa Alm en attendant la réaction de Hjalle.

– Beau travail, les gars. Autre chose ?

– L'échantillon de salive appartient à Dragan Lobocevic.

– Quoi ?

– On a trouvé de la salive qui n'était pas la sienne. Et c'est celle de Dragan. Ainsi que les poils. Mais pas trace de l'ADN de Hamid ni d'Abou. Pas jusqu'à présent, en tout cas.

Hjalle regarda Monica.

– Et celui de quelqu'un d'autre ?

– On ne peut pas l'exclure. Ils nous le feront savoir, dans ce cas.

– Yasmina a rompu avec Dragan, dit Hjalle. Il faut donc vérifier de près son alibi, interroger ses amis, ainsi qu'Angela à nouveau, et vérifier auprès de la sécurité. Pendant ce temps-là, je vais faire venir Abou et Hamid. Je crois qu'on peut écarter Niclas Hjälm. Pour le moment, du moins.

– La perquisition chez Dragan n'a rien donné de spécial, en dehors du fait que le chien a flairé une piste. Il y a sûrement eu quelque chose, mais on n'est pas parvenu à trouver quoi. Quant à ta demande de perquisition chez le père d'Angela Philipsson, elle n'a pas été acceptée, tu le sais peut-être déjà ?

– Non, mais ça ne m'étonne pas un seul instant. Ce type a sûrement des montagnes de cannabis dans sa cave mais, quand on a des relations… C'est comme ça. Il va falloir cuisiner la fille, alors. Sans ménagement.

Monica quitta la pièce et Alm se leva. Avant de sortir, il se retourna vers Hjalle.

– Qu'est-ce que t'en penses, pour mardi ?

– Le match ?

– Oui.

– Bah, ils vont gagner. C'est vrai qu'ils ne sont pas bons mais, contre Trelleborg à domicile, non… *No problem*, déclara Hjalle, très sûr de lui.

8 septembre

Abou Saïd regardait fixement devant lui. Il était huit heures du matin et il bâillait ostensiblement. Hjalle avait le sentiment d'avoir piégé les deux frères. Le foulard qu'ils avaient trouvé était un indice important, ainsi que le témoignage de la petite sœur, qui les avait vus rentrer à deux heures et demie du matin. À cela s'ajoutait le fait que l'un des agents de sécurité, à Slagthuset, certifiait les avoir aperçus sur le parking vers deux heures.

– Lors de l'interrogatoire précédent, vous avez déclaré être restés tous les deux chez vous toute la soirée et toute la nuit. Or, nous disposons désormais d'un témoignage selon lequel vous êtes rentrés vers deux heures et demie…

Le visage d'Abou ne laissait en aucune manière présager une réponse.

– Dis-toi bien que nous avons assez d'éléments pour vous faire placer tous les deux en garde à vue. Si tu as quelque chose à dire pour ta défense, c'est le moment.

Abou se tortillait sur sa chaise, mal à l'aise. Il finit par lâcher, à contrecœur :

– C'est bien fait pour cette sale conne. Elle méritait pas autre chose.

– Tu n'ignores pas que ce genre de propos risque de renforcer la conviction du procureur. De même que ceux que nous avons recueillis au collège. Plusieurs élèves ont affirmé que vous aviez promis de la tuer.

– Qui ça ?

– Peu importe. Vous le saurez au tribunal.

– Ils oseront pas.

– Attention, Abou. Les menaces ne peuvent qu'aggraver ton cas. Nous savons que vous êtes sortis dans la voiture de votre père, la Mazda rouge, et que vous êtes rentrés vers deux heures et demie. Où êtes-vous allés ?

Le visage d'Abou se ferma à nouveau.

– Tu ferais mieux de parler. Si tu refuses, tu ne feras que confirmer ce que j'avance…

– On est sortis, lâcha Abou de façon si brutale que Hjalle, qui commençait à désespérer, sursauta. Mais on est rentrés vers minuit et demie. Vous n'avez qu'à demander au père. On a maté une émission d'Al Jazeera sur l'occupation de la Palestine par ces salauds de Juifs. Il s'agissait de l'attitude à adopter vis-à-vis d'eux : se coucher et mourir ou résister. Consultez les programmes, vous verrez que c'est vrai. Ma mère et mon père peuvent témoigner qu'on était à la maison. Mais c'est dommage, en un sens, parce que je lui aurais bien réservé le traitement auquel elle a eu droit.

Hjalle avait placé le foulard de Yasmina dans l'un de ses tiroirs. Il décida pourtant d'attendre un peu pour le sortir.

– Où êtes-vous allés ?

– On a d'abord pris de l'essence sur Bellevuevägen, et ensuite on est allés faire un tour en ville, voir si on trouvait un de nos potes. Gustav, par exemple.

– À Slagthuset, ou bien aviez-vous trop peur de Dragan et de ses copains ? Qu'est-ce que tu en dis, Abou ?

Le visage de ce dernier trahit un certain malaise, comme si on lui rappelait un souvenir désagréable.

– Pourquoi est-ce que vous laissez un type comme ça en liberté, alors que vous perdez votre temps à me cuisiner ? C'est jamais qu'un sale dealer. Comment est-ce que vous croyez qu'il se procure ses bâtons ?

– Ses bâtons ?

– Son fric, quoi.

– Comment sais-tu que c'est un dealer ?

– Comment ? Tout le lycée le sait, merde ! T'es flic ou quoi, mec ? pouffa Abou.

– Tu le connais donc.

– Je connais pas de saloperie de Serbe, moi.

– Mais vous vous êtes rencontrés, non ?

– Qu'est-ce que ça peut foutre ?

– Il vous a mis une raclée, hein ?

Abou regarda Hjalle sans rien dire, avec une expression de profond mépris, ce qui ne pouvait signifier qu'une seule chose. Ils avaient été rossés à ne plus pouvoir marcher.

– Un des agents de sécurité déclare vous avoir vus sur le parking de Slagthuset vers deux heures.

– C'est pas possible. À cette heure-là, on était à la maison, tous les deux.

– Un de vos voisins de Sörbäcksgatan vous a vus vous disputer dans la rue à deux heures et demie.

– C'est pas possible. Je dormais. Il a des visions, ce type, ou alors il veut nous faire coffrer. Qui c'est ?

– T'occupe.

– Si c'est Alisa, vous bilez pas, elle ment comme une arracheuse de clous…

– De dents, Abou.

Hjalle regretta d'avoir repris Abou aussi vivement, car celui-ci se renfrogna aussitôt et il sentit qu'il était maintenant dans l'obligation d'abattre sa carte maîtresse. Il déplia donc le foulard de Yasmina devant le jeune homme, qui ne broncha pas le moins du monde.

– C'est le *hijab* de Yasmina. Et alors ?

– On l'a trouvé dans la voiture de votre père, la Mazda dans laquelle vous êtes sortis. Avec pas mal de cheveux de Yasmina dessus, Abou.

– C'est pas possible. Elle est pas montée dans cette voiture. Jamais de la vie.

– Alors, il faudra que tu expliques au procureur pourquoi il était sur le siège arrière.

Abou secoua énergiquement la tête, comme s'il estimait que ce n'était plus la peine de dire quoi que ce soit.

Angela Philipsson se montra nettement plus coopérative lors de sa troisième rencontre avec Hjalmar et Monica, comme si elle avait enfin compris qu'elle était dans de sales draps.

– Je vais vous dire la vérité.

– Dommage que vous ne l'ayez pas fait dès le début…

Hjalle la regarda. Il ne l'associait plus, désormais, à Ann-Sofi, la lycéenne si pleine de vie de Borgarskolan. La fière assurance dont elle avait fait preuve n'était plus qu'un souvenir. Elle avait l'air d'avoir peur, de ne plus savoir quoi faire et d'être sans cesse au bord des larmes.

– Je ne voulais pas, je n'osais pas. J'avais honte.

– Honte de quoi ?

– De ce que j'avais fait avec Dragan.

– Vous avez donc pris le petit ami de votre copine ?

Elle baissa les yeux sur le tapis et une rougeur apparut sur son cou.

– Oui...

– Yasmina le savait ?

– Je ne sais pas. Je ne crois pas. Mais je pense que oui, malgré tout, parce que...

– Parce que quoi ?

– Elle n'était pas idiote et elle avait de l'intuition.

– Comment cela allait-il entre elle et Dragan ?

– Assez mal. Elle voulait rompre. Et je le savais.

– C'est pourquoi vous avez osé faire les premiers pas ?

– En quelque sorte. Mais on ne l'a fait qu'une seule fois...

– Quand ça ?

– La nuit d'avant.

– Yasmina s'en est rendu compte ?

– Je crois que oui.

– Et pourtant vous êtes sorties ensemble.

– Oui. Elle n'a rien dit et n'a fait aucune allusion.

– Seulement une fois que vous étiez au bar ?

Angela rejeta en arrière ses longs cheveux bouclés et regarda Hjalle comme si elle implorait sa compréhension.

– Oui. Elle m'a demandé si on avait couché ensemble. Elle était complètement partie, dans les vapes, et vachement en colère. Moi, je n'avais rien pris, je ne voulais pas, je ne me sentais pas très...

– Parce que vous l'aviez trompée ?

– Peut-être. Je ne sais pas.

– Qu'est-ce qui s'est passé, ensuite ?

– Dragan et elle se sont disputés. Et elle a rompu avec lui.

– Ce n'était donc pas à cause des comprimés d'ecstasy, comme vous l'avez déclaré précédemment ?

– Non.

– Pourquoi devrions-nous vous croire cette fois-ci ?

– Faites comme vous voulez, mais je vous dis la vérité. Elle est partie en nous disant d'aller nous faire voir, Dragan et moi. Il était tellement furieux qu'il l'a suivie, pourtant.

– Vous ne nous avez pas dit ça.

– Mais je vous le dis maintenant. Il l'a suivie vers la sortie.

– Au bout de combien de temps est-il revenu ?

– C'est difficile à dire. Une demi-heure, peut-être.

– Une demi-heure ! Et vous ne l'avez pas mentionné plus tôt ! Elle regarda Hjalle puis Monica, l'air un peu honteuse.

– Vous vous rendez compte de ce que ça implique. Une demi-heure !

– Oui, à peu près. Quand il est revenu, il était furieux. Je n'ai rien dit, parce que je ne peux pas croire qu'il ait fait quelque chose de mal. C'est un type formidable, Dragan, c'est vrai. Il ne lèverait jamais la main sur une femme, quelle que soit l'opinion qu'il ait d'elle. Parce qu'il a de la classe, à la différence de certains autres.

– Vous le connaissez bien, pour dire ça ?

– Assez bien.

– Vous avez couché avec lui une seule fois ?

– Oui. Mais ça fait plus d'un an qu'on se connaît. On a fait pas mal de choses ensemble. La fête, des sorties. Un tas de trucs. C'est vrai qu'il lui arrive de jouer les durs devant les autres garçons, il aime ça.

– Cela ne vous dérangeait pas que ce soit un dealer ?

– Je ne considère pas le hasch et l'ecstasy comme de la drogue. Il n'y a que vous, les adultes, pour le faire. Dans dix ans, tout ça aura changé. La législation sur les stupéfiants est une idiotie. Nous, les jeunes, on voit les choses d'une façon différente. Je vous le dis, parce que c'est bien que vous le sachiez. Vous qui vous êtes détruit le foie et le cerveau avec de la bière, du vin et de la vodka…

Le ton de défi ironique qu'elle adoptait soudain surprit Hjalle.

– C'est quoi, la drogue, selon vous, mademoiselle Philipsson ?

– L'héroïne, les amphétamines, tout ce qu'on s'injecte. Ou l'héroïne à fumer, la cocaïne…

– Mais pas les comprimés ni le cannabis ?

– Non.

– Et ce que fait votre père, c'est quoi ? De la bienfaisance ?

– Il est médecin, il en sait plus là-dessus que toute la police.

L'Angela Philipsson qu'il avait rencontrée la première fois était de retour. Celle qui n'admettait aucune limite et voulait être psychiatre.

– Et vous, simple lycéenne, vous le savez aussi ?

– Je ne dis pas que je le sais mais je présume que c'est ainsi.

En l'entendant prononcer le mot « présumer » avec lenteur et de façon légèrement acide, Hjalle comprit enfin à quel point il la détestait et qu'il ferait tout pour lui procurer un petit séjour à l'ombre, aussi difficile que ce soit du fait des relations de son père.

– Dragan déclare qu'il est resté au bar toute la soirée.

– Ce n'est pas vrai. Il a suivi Yasmina à l'extérieur.

– Vous pouvez citer d'autres témoins ?

– Predrag.

– Son copain ?

– Oui. Il était au bar avec moi pendant l'absence de Dragan.

– C'est tout ce que vous avez à dire sur cette soirée ?

– Oui.

– Vous êtes sûre ?

Elle le regarda d'un air pensif et rejeta ses cheveux en arrière avant de répondre :

– Oui. Si je trouve autre chose, je vous appellerai. Mais ce n'est pas Dragan le coupable, c'est stupide de vous concentrer sur lui.

– C'est à nous de décider sur qui nous concentrer, Angela. Vous pouvez partir, maintenant.

Elle se leva et se dirigea vers la porte. Avant qu'elle l'ait atteinte, Hjalle lui lança :

– Dites à votre père…

– Quoi ?

– Qu'il vous trouve un bon avocat, ajouta-t-il sans pouvoir s'empêcher d'afficher un sourire sardonique.

– Ne vous inquiétez pas pour ça. Mon père ne laisse jamais tomber personne. Vous vous en mordrez les doigts, je vous garantis. Il connaît tout le monde, dans cette ville.

Puis elle disparut dans le couloir, accompagnée par le rire, franc et sonore, de Hjalle.

– Tu as entendu, Monica. Papa Cannabis connaît tout le monde. C'est formidable, non ? Dans dix ans, elle aura son cabinet, même si elle a le cerveau ravagé par le cannabis. Elle s'en servira à son profit. Elle pourra se faire grassement payer pour scruter les recoins de l'âme des habitants de Malmö, avant d'aller fumer un joint avec son mari, après le dîner. Tout ce que j'ai à dire, moi, c'est : merde, alors !

– Calme-toi, Hjalle. Ce n'est qu'une gamine, elle fait ça pour nous mettre en boule.

– Du calme ! Je t'en fiche ! Cette petite gouine n'a pas à venir jouer les grandes dames.

– Qu'est-ce que tu dis ! s'exclama Monica, scandalisée.

Hjalle se mordit les lèvres, incapable de dire ce qui l'avait poussé à prononcer ce mot qui lui était soudain venu sur le bout de la langue.

– Rien.

– Répète un peu !

– Ne joue pas les féministes offensées, tu veux, Monica. On a des choses plus importantes à faire, toi et moi…

Elle hocha la tête avec un sourire, l'air résignée.

– Je n'aurais pas cru ça de toi, Hjalle, sérieusement.

– Cru ça ? Je ne vaux pas mieux que les autres, tu sais.

Il la précéda dans le couloir.

– Viens. On va faire un brin de causette avec Dragan, dit-il pour l'amadouer.

Elle lui tourna le dos et s'éloigna en lui lançant, d'un ton furieux :

– Va le faire tout seul. De toute façon, il n'y en a que pour toi. Je reste ici. *Adios* !

L'inspecteur Hjalmar Lindström resta seul dans le couloir, à regarder stupidement sa collaboratrice s'éloigner. Pour insuffler un peu de courage à sa virilité psychologiquement maltraitée, il se lança à lui-même :

– À nous deux, Dragan Lobocevic.

Sentant qu'il avait besoin d'air, il traversa Rörsjöstaden à pied et passa devant ces façades jadis signes d'opulence et de temps modernes, à l'époque où la bourgeoisie n'avait pas encore découvert les joies de la mer et désirait prendre ses distances par rapport aux classes inférieures. Il tourna au coin du café de Jojje, qui semblait vouloir perpétuer les traditions pour l'éternité. Les pensées tournaient en tous sens dans sa tête, telles des souris affamées. Soudain, il revit sa vie conjugale avec Ann-Mari, les disputes des derniers temps et les traces qu'elles avaient laissées, puis il s'avisa qu'il avait découvert dans sa propre voix un ton nouveau et beaucoup plus brutal. L'image de Monica Gren surgit en lui tandis qu'il traversait Amiralsgatan. Où était-il allé chercher ce mot de « gouine » ? C'était certainement le comportement d'Angela Philipsson qui avait provoqué cela, en lui rappelant des souvenirs de sa scolarité et des fils et filles à papa de son lycée. Et puis les autres, ceux qui avaient les moyens de tirer leur flemme, sans avoir à se donner le moindre mal, et pour qui les mauvaises notes importaient peu, ils n'avaient pas à se tracasser, une place les attendait dans l'entreprise familiale. Le club Privé en hiver et le restaurant chic Svarta Malin en été. Les sports d'hiver une ou deux fois par an et des parties de golf à Falsterbo. Foulard Hermès et manteau bleu pour les filles, chaussures de playboy et pull rayé jeté sur l'épaule pour les gar-çons. « Je n'aurais pas cru ça de toi, Hjalle, sérieusement. » Ah non ? Qu'est-ce que tu croyais, alors ?

Il monta Bergsgatan en se demandant combien au juste il y avait de restaurants dans cette ville, et comment il était possible qu'il y en ait autant. Ça et puis les coiffeurs. Comme si les gens n'avaient que deux choses à faire : manger et se laisser pousser les cheveux. Comment s'appelait la boutique de quartier de Dragan, déjà ? Il fouilla dans sa mémoire, ce qui ne fit qu'accélérer encore un peu la danse des souris. Quelque chose de grand bougeait en lui, quelque chose qui lui semblait en train de changer. Il se sentait plus fragile qu'avant et ce mot avait pris un sens nouveau. Ah, voilà : « Dragan, alimentation confiserie », tout simplement. Il entra et fut accueilli par un spectacle désolant : des étagères à moitié vides, un présentoir couvert de bandes vidéo de films d'action et pornographiques, un mur entier de bonbons en vrac peu ragoûtants, quelques légumes dans une caisse et une vitrine de produits de boucherie parmi lesquels on aurait cherché en vain de quoi se mettre en appétit. Une telle boutique ne pouvait être source que de difficultés financières et d'un profond dégoût. Une jeune fille de quatorze ans était à la caisse.

– Dragan n'est pas là ?

– Non, répondit-elle, surprise, en levant les yeux de son illus-tré, comme si elle n'avait pas l'habitude de ce genre de question.

– Cette boutique lui appartient, pourtant ?

– Oui, mais il ne vient pas très souvent.

– Et qui êtes-vous, si je peux me permettre ?

– Sa sœur.

– Vous n'êtes pas au collège ?

– Ça ne vous regarde pas.

– Je suis de la police et je cherche Dragan.

– Qu'est-ce qu'il a fait ?

– On n'en sait rien. On veut seulement lui parler un moment. Savez-vous où il est ?

– Au club, sûrement. Avec Predrag. Il devait y aller avant, en tout cas.

– Merci, dit Hjalle en saisissant la poignée de la porte, avant d'ajouter : Dites...

– Quoi ?

– N'oubliez pas le collège.

– C'est une journée de révisions, aujourd'hui, vous savez.

Il avait le sourire aux lèvres, en sortant dans la rue. Journée de révisions, mon œil ! Je t'en ficherai, moi, des journées de révisions. Ah, partir loin de tout ça, comme dit la chanson. Oh oui. Une mélodie remonta alors du passé et on vit soudain l'inspecteur de police Hjalmar Lindström se mettre à siffloter en se dirigeant vers Möllevången et les locaux de l'Amicale Bosniaque. Lena Andersson, pensa-t-il. Je me demande ce qu'elle est devenue. Elle était chouette, et elle chantait bien.

– Alors, je t'écoute. Qu'est-ce qui s'est passé ?

Dragan Lobocevic roulait pensivement une cigarette, penché sur la table basse, avec Predrag, son meilleur copain, à ses côtés. Tous deux avaient paru étonnés de voir Hjalmar arriver et, dans la pièce voisine, deux de leurs amis attendaient que la partie puisse reprendre, car il s'agissait cette fois de poker et les mises n'étaient pas minces, à ce que Hjalle avait cru voir.

– On sait déjà que tu as quitté le bar et que tu t'es absenté pendant une demi-heure. N'est-ce pas, Predrag ?

Predrag Rilic était petit, puissamment bâti, et avait le crâne rasé. Derrière l'une de ses oreilles, une cicatrice lui conférait un air de dur qui ne lui déplaisait sûrement pas. Pour Hjalmar, c'était un de ces « hommes de main » spécialisés dans le recouvrement de dettes de jeu, un paquet de muscles auquel certaines personnes avaient sans doute volontiers recours. Il regarda Dragan, qui ne lui rendit pas la politesse et fit attendre un peu sa réponse, comme s'il lui était désagréable de parler de son ami.

– Je me rappelle plus vraiment...

– Bon, les gars, arrêtez vos enfantillages. Tu te souviens très bien, Predrag. Angela nous a dit que tu étais resté avec elle au bar pendant que Dragan suivait Yasmina. Ou alors, c'est elle qui ment, c'est ça ?

Dragan regarda son ami avec un sourire de lassitude.

– Non... elle ment pas. C'est vrai qu'il s'est absenté un moment.

– Combien de temps, d'après toi ?

– Vingt minutes, une demi-heure, pas plus.

Il baissa les yeux comme s'il avait honte d'avoir trahi son meilleur ami. Dragan tira une longue bouffée sur sa cigarette et dit alors, sans regarder son copain :

– C'est vrai. Je l'ai suivie. Je l'ai d'abord perdue de vue, dans la foule qu'il y avait à l'entrée. Une queue pas possible. Je me suis dit : qu'elle aille se faire voir. Rien à foutre de tout ça. Elle a l'air d'être complètement dans les vapes. Mais, en même temps, je voulais la protéger, comme qui dirait...

– Comment ça « la protéger » ? Qu'est-ce que tu veux dire ?

– Ben quoi. Une nana vachement chouette qui se balade sur le port en minijupe à deux heures du mat'. Si tu piges pas ça tout seul, je vois pas comment te l'expliquer.

– C'est bon, Dragan, j'ai compris. Qu'est-ce qui s'est passé ?

– Tout d'un coup, je l'ai vue. Elle était en train de causer avec Robban et les autres...

– Les agents de sécurité de Slagthuset ?

– Oui.

– Tu les connais ?

– Un peu.

– Et alors ?

– Elle est sortie et je l'ai suivie. Je l'ai rattrapée et je lui ai dit que je pouvais la ramener chez elle, si elle voulait. Mais non.

– Pourquoi ?

– Elle m'a dit que c'était terminé entre nous, qu'elle voulait plus me voir, que...

Dragan baissa les yeux sur la table comme s'il cherchait un mot ou une expression. Son regard se fit soudain doux et absent.

– Quoi ?

– ... j'étais pas un bon *habib*. Je l'avais trompée en couchant avec Angela. Je lui ai dit que je l'avais pas fait...

– Pourtant, c'était vrai.

– Oui... et elle l'avait bien compris. Ça se voyait sur moi, qu'elle m'a dit.

Dragan se tut. Sa cigarette était terminée, il écrasa le mégot dans un cendrier de verre, seule décoration de la vieille table en bois.

– Qu'est-ce qui s'est passé, ensuite ?

– Elle m'a pris dans ses bras en me disant qu'elle voulait plus me voir. C'était bizarre, mais bien d'elle. Elle m'a serré longtemps dans ses bras, et fort, comme si elle m'aimait. Puis elle m'a dit qu'elle voulait plus me voir.

Le silence se fit dans la petite pièce. Dragan avait du mal à parler, sa voix était pâteuse et Hjalle crut voir une larme perler au coin de ses yeux.

– Comment était-elle habillée ?

– Comme le soir, mais avec sa veste rouge sur le bras. Et puis son châle, ce foutu châle qu'elle portait parfois.

– Quel châle ?

– Celui que portent les musulmanes, un *charjab* ou je sais pas quoi...

– Un *hijab*.

– Oui, peut-être bien.

– De quelle couleur ?

– Bleu et blanc.

– L'un des agents dit qu'il a vu ses cousins dans une voiture rouge. Tu les as remarqués ?

Dragan secoua la tête.

– Comment vous êtes-vous quittés ?

Il avala sa salive et passa la paume de ses mains sur ses cuisses.

– Elle est partie. Je suis resté sur place à lui crier des choses. Mais elle s'est pas retournée, elle a continué son chemin. Et alors je suis rentré.

– Tu es aussitôt allé retrouver Predrag et Angela ?

– Non, je suis d'abord passé par les toilettes, puis j'ai pris un Bloody Mary dans la salle des années 80. J'avais besoin d'un remontant.

– Besoin ?

Dragan le toisa d'un regard plein de résignation et de mépris. Comme s'il l'estimait dépourvu de toute sensibilité et intelligence.

– Parfaitement. J'en avais *besoin*. J'aimais Yasmina. Elle était ce qui m'est arrivé de plus beau et de plus important, dans ma vie. Je me fous pas mal si vous me croyez pas. C'était comme ça. Bon, on peut y aller, maintenant ?

Hjalle regarda les deux amis et estima n'avoir aucune raison de les retenir. Pour l'instant, du moins. Il hocha donc la tête et sans attendre les deux hommes reprirent leur partie de poker interrompue, dans la pièce voisine.

Lorsque l'inspecteur Hjalmar Lindström quitta les lieux, peu après, aucun des quatre joueurs ne s'en aperçut.

– Qu'est-ce que tu veux dire par « gouine » ? C'est parfaitement dingue, ce mot.

Hjalmar poussa un grand soupir et fit mine de s'abriter derrière son bureau, dans une attitude qui mêlait raclements de gorge et gestes désordonnés. Sans s'en apercevoir, il avait déplacé la même pile de dossiers à trois reprises. De l'autre côté de la table, Monica l'observait d'un œil noir.

– Et c'est des types comme toi qui enquêtent sur des affaires de viol…

– Mais…

– Mais quoi ? Qu'est-ce que tu veux dire ?

– Je ne l'ai pas fait exprès.

– Non, en effet. Et ça ne fait qu'aggraver ton cas. Ce mot reflète de façon flagrante une conception profondément machiste selon laquelle les femmes indépendantes et bien de leur personne qui profitent de la vie sont des « gouines ». Ou des « traînées ». N'est-ce pas ?

Il poussa un nouveau soupir et médita sur ce qu'elle venait de dire : « une conception profondément machiste » ? Elle était en pleine forme. Non qu'il l'ait sous-estimée sur le plan intellectuel, mais la précision de la formule, la vigueur de son argumentation, et le ton presque hostile qu'elle avait adopté l'avaient pris au dépourvu.

– Excuse-moi, Monica, mais je vis maritalement depuis quinze ans, j'ai trois enfants à moi et deux que ma compagne a eus avec quelqu'un d'autre. J'ai connu pas mal de femmes, dans ma vie, et j'aime celles qui sont indépendantes et qui profitent de la vie. J'ajoute que non seulement je les aime, mais je les admire. Je suis donc le premier à regretter que ce qualificatif méprisant ait franchi mes lèvres mais il est peut-être possible d'attribuer cette volonté de dénigrement à une sorte de désir malin – si tu permets l'expression – provoqué par cette attitude de supériorité sociale que la personne en question a manifestée chaque fois que je l'ai rencontrée.

Monica ne se laissa pas impressionner par ce raisonnement.

– Alors, selon toi, le nombre des gouines augmente au fur et à mesure qu'on s'élève sur l'échelle sociale ?

D'après lui : oui, mais il n'osait relever le gant qu'elle venait de lui jeter et il tenta d'orienter la conversation vers un terrain moins glissant.

– Ce n'est pas ce que j'ai dit.

– Mais c'est la conclusion logique qu'on peut en tirer.

Il y avait en elle quelque chose de dur et d'intraitable qui lui fit soudain comprendre pourquoi elle se trouvait devant lui, dans cet hôtel de police. Elle prenait tout au sérieux.

– Bon, d'accord, Monica. Tu as gagné. Je me rends.

– Il ne s'agit pas de gagner, Hjalle. Ce qui est en cause, c'est cet ensemble de choses invisibles et poisseuses qui font que, au bout du compte, il y a des viols. Et si nous, nous ne sommes pas « à l'abri » de ce genre de saletés, comment pourrons-nous maintenir l'ordre et la décence dans la société ? Qu'on le veuille ou non, nous vivons dans un monde profondément patriarcal et propice au viol – par voie de conséquence. La femme est sur le dos dès le début. Il suffit de parcourir les jugements de ces dernières années. Lis-les et tu verras, c'est instructif ! Juges et avocats posent des questions aux femmes sur la façon dont elles s'habillent et sur leurs habitudes sexuelles, jamais aux violeurs. Des jeunes filles sont contraintes de déménager et de changer d'école alors que les coupables restent sur place. Des avocats qui ne savent rien des mécanismes conduisant au viol, qui n'ont rien lu à ce sujet, n'ont jamais mis les pieds dans une prison et ne s'intéressent pas à ce qu'il y a derrière…

Hjalmar eut droit à tout un cours particulier non seulement sur l'évolution de la législation en matière de viol mais aussi sur la façon dont l'attitude envers celui-ci avait évolué au fil du temps et dans les différentes cultures. Si Monica avait des connaissances dans un domaine, c'était apparemment celui du viol, mais il y avait aussi dans sa faconde un pathos et une révolte qui dépassaient ce que Lindström considérait comme normal et l'idée l'effleura alors que ce frêle corps de femme devant lui avait peut-être connu des expériences qu'il préférait ignorer.

Il n'en conçut que plus de respect pour elle et son désir de mettre la main sur l'assassin de Yasmina n'en fut que renforcé. Il l'interrompit brusquement.

– Excuse-moi, Monica…

Elle perdit le fil de ses idées, au beau milieu d'une phrase sur l'idée que les jeunes immigrés se font des Suédoises, et le regarda comme s'il venait de la réveiller.

– Excuse-moi, Monica, mais qu'est-ce qu'on a ?

– Comment ça ? lui demanda-t-elle à son tour, se rendant compte qu'elle avait peut-être poussé le bouchon un peu loin. La leçon de morale est terminée pour aujourd'hui, ajouta-t-elle. Qu'est-ce qu'on a ? Le foulard, le témoignage d'Alisa sur le fait qu'ils sont rentrés à deux heures et demie et pas à minuit. Et un nouveau témoin qui atteste que Niclas Hjälm est entré dans Pildammsparken vers deux heures et demie…

– Qui ça ?

– Un de ses copains qui s'en est souvenu brusquement.

Hjalle passa une de ses mains dans ses cheveux, comme si ce fait nouveau le dérangeait et venait perturber le cours des événements tel qu'il le reconstituait.

– Hjälm ? Continue.

– On a un des agents de sécurité de Slagthuset qui aperçoit les cousins dans une voiture rouge sur le coup de deux heures et demie. On a aussi Dragan sur le parking à ce moment-là mais qui ne voit pas la même chose, seulement Yasmina. Personne ne peut attester que Dragan est allé aux toilettes ou a commandé un Bloody Mary à cette heure-là. Non qu'il n'ait pu le faire, mais à cause de la foule qu'il y avait. Le barman peut seulement certifier qu'il a servi trois ou quatre Bloody Mary pendant cette période.

– Est-ce qu'on a vérifié qu'Al Jazeera a bien diffusé une émission sur la Palestine ?

– Oui, c'est exact. Vers minuit.

– La voiture n'a rien donné d'autre ?

– Non, seulement le foulard.

– Pas de poils ni de cheveux ailleurs dans l'habitacle ?

– Non.

– Et cet agent, Robban ou un nom comme ça, qui a vu les deux cousins…

– Ce n'est pas Robban, c'est un autre, mais il a l'air très sûr de lui et de ce qu'il a vu.

Hjalmar sentit le filet se resserrer. De toute évidence, il y avait de quoi motiver une demande de mise en garde à vue d'Abou et de Hamid. Pourtant, il ne pouvait ignorer certains indices plaidant dans un sens différent. L'alibi de Dragan, l'état éthylique de Niclas Hjälm…

– Qu'en penses-tu ? lui demanda-t-elle.

Il réfléchit un moment avant de répondre.

– Il y a quelque chose dans le comportement de Dragan, pas dans ce qu'il dit mais dans sa façon d'être, qui fait que je le crois. J'ai du mal à voir en lui l'assassin de Yasmina. En ce qui concerne Niclas Hjälm, j'ai assez l'expérience de ce type de jeunes, même s'ils sont en général un peu plus âgés, pour savoir qu'ils sont capables de n'importe quoi quand ils sont sous l'emprise de l'alcool. Le mélange de stéroïdes et de ce qu'ils ont bu devient explosif et ils « pètent les plombs ». Mais pourquoi Yasmina lui aurait-elle donné rendez-vous à cet endroit ? Puisque, à en juger par ce qu'elle dit dans son journal, il n'existait plus pour elle. Je n'y crois pas. Je pense qu'il faut se concentrer sur les cousins. On a déjà certaines choses sur leur compte. Si on pouvait en avoir un peu plus, je crois qu'on n'aurait pas trop de mal à les faire placer en garde à vue. Quant à savoir si c'est assez pour les condamner, Dieu seul le sait. Ou plutôt Allah.

Il prononça ces derniers mots avec un sourire.

– Et les parents ?

– On va effectuer une nouvelle tentative un peu plus tard dans la journée. On a demandé un interprète à trois heures. Au fait, l'enterrement est pour demain.

– Bon, dit Monica. Qu'est-ce que tu dirais d'un café ?

– Volontiers.

Elle sortit de la pièce et Hjalmar se mit à rédiger d'un air distrait le début d'une demande de mise en garde à vue à l'encontre de Hamid et Abou Saïd. Puis il regarda sa montre et le canal qui traversait le centre de la ville tel un serpent prêt à l'étouffer. Le dernier bain, pensa-t-il. Quand aura-t-il lieu ? Il se vit en train de plonger d'un des pontons de Sibbarp en décrivant un bel arc de cercle. En faisant vite, après l'audition des parents de Yasmina, il pourrait arriver à temps pour le match.

L'instant d'après, Monica se tenait devant lui avec deux tasses de capuccino à la main.

– Et alors ?

– Comment ça, et alors ?

– Qu'est-ce qu'on fait, maintenant ?

Au même moment, Jönsson et Strömberg firent leur apparition. Le premier avait travaillé sur le terrain pendant des années avant de devenir commissaire et Lindström avait beaucoup appris de lui. Le second était un syndicaliste militant qui travaillait dans les bureaux et, de plus, membre de l'équipe dirigeante de l'IFK Malmö, ce qui lui avait valu, au fil des ans, bien des regards en coin qu'il ignorait avec de plus en plus de brio. Hjalmar avait jadis fait partie des juniors de ce club et nourrissait des sympathies pour ses maillots jaunes, comme on en a pour tout ce qui revêt un caractère d'antiquité. Ces derniers temps, pourtant, il avait été de plus en plus porté sur les bleus du Malmö FF, surtout sous la pression de ses fils, et, sur le mur de la salle de séjour, au-dessus de photos de parents et amis, trônait un poster de l'équipe arrivée en finale de Coupe d'Europe en 1979, que l'un des enfants avait apposé là. Dans quelques heures, hélas, ce glorieux club allait livrer, dans le vieux stade, un match lourd de conséquences contre Trelleborg et, pour la première fois depuis des siècles, semblait-il, il était menacé de relégation en division 2. Comment s'étonner alors, que Strömberg, qui considérait Lindström comme un traître et un opportuniste, lui rende la monnaie de sa pièce.

– La situation est pourrie ! lança-t-il avec un sourire.

Jönsson, supporter des bleus, mais parmi les plus portés au sadomasochisme, émettait de temps à autre l'idée – nourrie d'une haine obstinée envers le président Cavalli et ce qu'il représentait – qu'une « année ou deux de purgatoire ne leur feraient pas de mal ».

– C'est très bien de descendre, de bâtir une nouvelle équipe et de revenir plus forts qu'auparavant. Il faut miser sur les jeunes, comme ce grand type de Rosengård, comment s'appelle-t-il déjà ? Ibrinahomovic ou quelque chose comme ça. Des comme lui, y en a treize à la douzaine dans l'équipe junior de l'IFK !

Hjalle sentit que ses chances d'aller plonger à Sibbarp s'amenuisaient au fil des minutes.

– Zlatan Ibrahimovic*, corrigea Hjalle, fier d'être capable de prononcer correctement le nom de ce grand joueur, dans tous les sens du terme. Et puis, il ne vient pas de Rosengård, il est né à Bodekullsgatan et ce n'est pas dans ce quartier-là, que je sache.

---

* Joueur d'origine balkanique qui fait maintenant les beaux jours des plus grands clubs de football professionnel d'Europe et joue dans l'équipe nationale de Suède.

Les deux collègues l'observaient, l'air amusé, car il était facile de le mettre en boule sur ce sujet. Strömberg jugea bon d'appuyer un peu plus là où ça faisait mal.

– Tu vas porter un crêpe de deuil ?

– Pourquoi ? Vous croyez quand même pas que le MFF va descendre ? C'est du pipeau, c'est pour faire marcher les spectateurs et créer un peu de suspense.

Il se leva, comme pour souligner son intention de partir. À côté de lui, Monica était plongée dans le dossier Yasmina.

– On parie ?

– Bien sûr. Cinq cents balles qu'ils descendent. C'est tout ce qu'ils méritent, dit Strömberg, cette bande de nullards…

Un rapide calcul laissa miroiter à Hjalle un gain de mille couronnes.

– Conclu !

Aussitôt après, Strömberg disparut dans une direction et Jönsson dans l'autre, sous le regard de Monica, manifestement étrangère à ces querelles de spécialistes.

– Il y a quelque chose qui cloche, dit-elle.

Quelque chose ? Beaucoup de choses, oui. Les finances, le jeu, les joueurs, la responsabilité de Cavalli.

– C'est bien vrai. Dans les options de jeu, avant tout. Ils ont beaucoup trop de types qui courent sans réfléchir et trop peu de Maradona…

– Je pensais à Dragan et à cette Angela…

Hjalle la regarda d'un air étonné et, d'un rapide coup d'œil à sa montre, lui fit comprendre qu'ils étaient pressés.

– Je le pense, Hjalmar.

Hjalmar ? Ah oui, c'est vrai, c'est moi.

– On verra ça plus tard. Il faut qu'on file.

L'audition des parents de Yasmina eut lieu à la clinique psychiatrique, dans une salle donnant sur le parc où la jeune fille avait été retrouvée. Sa mère était assise, prostrée, à côté de son mari, Adi Saïd, qui avait l'air un peu plus maître de lui. Hjalmar entama le dialogue avec l'aide d'un jeune interprète arabe et eut le sentiment qu'il était possible d'établir une certaine forme de contact. Il y avait dans cet homme quelque chose de doux et de sympathique qui le rendait optimiste et lui faisait même chaud au cœur.

– Parlez-moi de votre fille.

Le père regarda l'interprète, réfléchit un moment et se mit à parler, autant à l'intention de celui-ci que de l'inspecteur. Il ne parut pas s'aviser de la présence de Monica à ses côtés.

– Quand nous sommes arrivés en Suède, il y a dix ans, traduisit l'interprète, Yasmina n'avait que sept ans. Nous avions naturellement entendu parler des difficultés que rencontrent les jeunes filles arabes, ici, du matérialisme qui y règne et de tout ce qui incite les jeunes au mal, mais nous avons toujours été très unis, dans la famille. Au Liban, nous n'avons jamais eu de problèmes. Chacun obéissait et faisait ce qu'il avait à faire. Par amour pour la famille et pour la Palestine. On sait que, parfois, les garçons font des bêtises et tournent mal. Je n'étais pas un modèle de conduite, moi-même, quand j'étais petit...

La femme d'Adi baissait les yeux. De temps en temps, son regard s'égarait vers la fenêtre, comme pour chercher l'endroit où sa fille avait été assassinée.

– ... et c'est normal, de jeter sa gourme. Pour Yasmina, les problèmes ont débuté quand elle est entrée au collège. Elle a commencé à ne pas rentrer à la maison à la fin des cours et à fréquenter des jeunes Suédoises, dont certaines habitaient des maisons cossues. On était contents, d'une certaine façon, mais ça nous inquiétait aussi, en même temps, à cause de ce qu'on entendait dire autour de nous, de ces beuveries à la bière et au vin pendant les week-ends. On a donc été obligés d'être un peu plus sévères avec elle et de lui interdire de rencontrer certaines personnes. Pas toutes, mais certaines. En même temps, elle a paru s'intéresser davantage à la famille, à la Palestine, à l'islam. Elle s'est mise à porter le *hijab* et ça nous a fait plaisir, jusqu'à ce qu'on s'aperçoive qu'elle jouait double jeu. Elle le portait pour aller à l'école et le retirait une fois là-bas. C'est ses cousins qui ont découvert ça, car ils allaient dans le même établissement qu'elle. On était heureux qu'ils la surveillent un peu et s'assurent qu'elle rentre directement à la maison.

– En d'autres termes, elle n'était pas libre de ses mouvements ?

Adi sourit de toutes ses dents en regardant Hjalle.

– Libre ? Vous ne pouvez pas comprendre. La liberté, ça n'existe pas pour les jeunes. Ils ont un père, une mère, des frères, des sœurs, des cousins. C'est de ça qu'il s'agit. Je comprends que le problème, en Suède…

Il se pencha vers Hjalle comme s'il voulait le persuader, avec son corps, des problèmes fondamentaux de la société suédoise.

– … c'est cette liberté. Chacun est seul. À Möllevången, on a retrouvé une femme morte, chez elle, depuis un an. La maison empestait le cadavre. Mais ici, il n'y a pas de famille, personne ne se soucie de vous ni ne vous prend en charge. Alors que chez nous, si. On aime nos enfants. Ils sont notre avenir. Mais vous ne pouvez pas admettre ce raisonnement, pas plus que je ne peux comprendre que des enfants de douze ans soient soûls dans les rues. Ou la façon dont vous traitez vos personnes âgées. Jamais je ne pourrai.

Hjalle écoutait cela d'une oreille distraite. Il n'aimait guère qu'on lui fasse la leçon. À l'école primaire, déjà, ses pensées avaient tendance à s'envoler par la fenêtre dès que le maître leur faisait trop la morale. Il observait en catimini la mère, qui restait immobile, se contentant de rectifier sa tenue de temps en temps pour regarder de nouveau vers le parc l'instant d'après. Au fond de lui, il était inquiet pour l'issue du match. Dans quelques heures, ce même parc serait envahi par des hordes vêtues de bleu ayant en tête des préoccupations bien différentes des siennes et de celles de Monica.

– Vous comprenez ?

Hjalle regarda Adi droit dans ses yeux bruns.

– Je comprends la différence. Je comprends que je ne comprends pas, si j'ose dire. Mais revenons à Yasmina : qu'est-ce qui s'est passé ensuite ? Ses cousins avaient pour mission de la surveiller ?

– Ce n'est pas une mission. Les cousins font partie de la famille, ils sont l'un de ses yeux. Cela n'a rien d'étrange.

Hjalle se demanda s'il devait aborder la question du viol que Yasmina disait avoir subi. Il hésitait, à cause de la présence de la mère. Et, en même temps, il manquait de temps. Il avait l'impression qu'il leur fallait impérativement avancer très vite, pour que les dernières pièces du puzzle se mettent en place.

– Dans son journal, Yasmina laisse entendre qu'elle a été violée par Amir, votre frère, et c'est confirmé par une de ses amies, une certaine Angela Philipsson.

Ce n'est pas sans nervosité que Hjalle attendit la réponse pendant qu'on traduisait la question à Adi. Pour la première fois, il vit quelque chose de dur sur le visage de cet homme.

– Yasmina mentait bien. Mais ça n'avait pas d'importance, alors. Je ne sais pas si vous avez des enfants, inspecteur. On peut en avoir et les perdre. Dans notre famille, les juifs ont ôté la vie à sept personnes, à Sabra et Shatila, au cours de l'été 1982. Deux de mes frères et cinq de leurs enfants ont été tués. Ils n'existent plus. Nous savons ce que c'est que perdre des membres de sa famille. Yasmina a rencontré un jeune Suédois et elle est tombée enceinte. Mais elle nous a menti. Une fois le déshonneur avéré – elle a avorté et ensuite refusé de se faire recoudre – pour nous elle n'existait plus. Elle est morte à cet instant-là et personne n'a porté le deuil. Elle a tenté de traîner nos parents dans la boue, sans y parvenir. Elle est allée... je ne sais pas... qu'est-ce que je peux dire d'autre ? Je ne sais pas. Vous ne pouvez pas comprendre. Je n'ai rien d'autre à dire.

Il était rare que Hjalle ne « comprenne » pas la façon d'agir des gens, d'une manière ou d'une autre. Or, il se trouvait précisément dans ce cas. Il avait beau faire des efforts, il n'arrivait pas à admettre qu'un père puisse renier sa fille de cette façon. Et pourtant, il s'était documenté avec soin sur les crimes d'honneur dans tous les pays, depuis la Corse jusqu'au Kurdistan iranien en passant par la Sicile.

Ce qu'il saisissait parfaitement, en revanche, c'est qu'il n'avait aucune aide à attendre des parents, dans cette affaire. Il effectua pourtant une ultime tentative.

– Où étaient les cousins de Yasmina la nuit où elle a été tuée, le savez-vous ?

– Ils étaient chez eux, en train de regarder une émission d'Al Jazeera sur la Palestine.

– Vous étiez avec eux ?

– Oui, chez mon frère.

– Les enfants aussi ?

– Oui, tous. Nous sommes rentrés chez nous à la fin de l'émission. À deux heures du matin. Eux, ils sont allés se coucher. Quand nous sommes partis, ils se lavaient les dents.

Hjalle sentit qu'un mur familial se dressait devant eux.

– Et Alisa, comment a-t-elle pris tout cela ? Était-elle avec vous pour regarder cette émission ?

– Tous étaient là. Elle a bien pris cela...

Hjalle crut voir quelque chose bouger sur le visage d'Adi. L'esquisse d'une inquiétude, un doute.

– Vous n'êtes pas très convaincant.

– Yasmina tentait de faire d'elle…

– Quoi ?

– La même chose.

– Comment ça ?

– En l'appelant au téléphone, en la rencontrant à l'école ou au-dehors.

– A-t-elle réussi ?

Adi retrouva son calme. Malgré son âge – il avait sans doute cinq ans de moins que Hjalle –, ce dernier eut le sentiment qu'Adi était beaucoup plus vieux que lui et il le vit sous les traits d'un vieillard au visage ridé.

– Non, répondit Adi avec un sourire las.

Hjalmar déposa sa collègue sur Möllevångstorget. Tout ce qu'ils trouvèrent à échanger, après cette audition, ce furent des sourires résignés.

Avant de refermer la portière, elle lui lança :

– N'oublie pas de porter le crêpe !

Elle eut un grand sourire en disant cela et, pour la première fois depuis qu'il avait commencé à travailler avec elle, il eut le sentiment de voir, derrière le nom de Monica Gren, une femme adulte et plus seulement la stagiaire très portée sur la critique qui l'accompagnait cette dernière semaine.

Pourtant, elle s'effaça peu à peu de son esprit, ainsi que l'enquête, tandis qu'il rentrait chez lui au volant, et ce n'est pas sans un certain effroi qu'il s'avisa que ce qui le préoccupait, au fond de lui, et l'avait préoccupé pendant la journée – y compris pendant l'audition d'Adi Saïd et de sa femme – c'était le résultat du match. Il faut vraiment voir là le signe d'un traumatisme – et pas des moindres –, se dit-il en garant sa voiture devant son domicile de Fågelbacksgatan.

C'est avec une sourde sensation d'inquiétude dans la poitrine que Hjalle conduisait une demi-douzaine d'enfants – trois des siens et trois camarades de classe à eux – en tenue bleu clair vers le vieux stade rénové. De toutes parts surgissaient des gens, à pied, à vélo ou en voiture. Le match de la mort qui allait se livrer attirait la foule et, quand ils arrivèrent, la queue au guichet s'étirait jusque sur Carl Gustafsväg. Ce qui avait commencé en plaisanterie de mauvais goût et avait longtemps continué ainsi était devenu sérieux : l'impensable était devenu vraisemblable, le MFF risquait d'être relégué en seconde division et une défaite contre Trelleborg rendrait la chose à peu près inévitable.

Le stade était plein à craquer. Les enfants avaient pris place derrière Fedel, le gardien de but, qui souriait gentiment à ses supporters. Au moment du coup d'envoi, Peo se glissa discrètement près de Hjalle mais son salut fut couvert par les cris de joie de la foule. Dès cet instant, les hurlements des éternels optimistes empêchèrent toute discussion qui ne se limitât pas à de quasi-monosyllabes.

– Ça va ?

– Mal.

– Pourquoi ?

– Tu vois bien.

– Oui, bon. À part ça ?

– Comment ça ?

– Au boulot ?

– Mal, aussi.

– Vous le tenez ?

– Qui ?

– Celui ou ceux qu'ont fait ça. Le crime d'honneur.

– Qu'est-ce que t'en sais ?

– Tout le monde le sait.

– Rien du tout, oui.

– Pas de cachotteries.

– J'ai rien à dire.

Sur le terrain, le match gagnait en intensité. Les joueurs en bleu et blanc avaient l'air nerveux et sur le qui-vive, comme si la proximité du public dans cette nouvelle arène – on aurait presque dit qu'ils regrettaient le Malmö Stadion, où la piste d'athlétisme les éloignait des commentaires les plus acerbes – augmentait l'angoisse du résultat. En voyant une longue passe, la cinquième en peu de temps, filer en sortie de but, Hjalle, qui, pendant des mois, avait refoulé avec légèreté l'évidence (refoulement basé sur dix-sept victoires en Coupe et autant de titres de champions) comprit que les dés étaient jetés. Lors de son attaque suivante, Trelleborg ouvrit le score et le silence s'abattit sur le stade tel un crêpe de deuil. On entendit une mouche voler – à savoir les cris de joie des rares supporters de Trelleborg.

Sa respiration semblait celle d'un asthmatique, maintenant, et il s'étonna de voir à quel point il était affecté par le drame qui se jouait sous ses yeux. Micke, son petit dernier, se tourna vers lui, presque en larmes.

– Ils vont égaliser, Micke, s'entendit-il dire sans grande conviction.

Il nota que les joues de Peo, à côté de lui, étaient de plus en plus rouges. Derrière eux, la claque reprit de la vigueur, mais les chants et cris rythmés se résumaient à d'incessants « al-lez, al-lez, al-lez ». Le fier emblème de la cité ouvrière était en train de sombrer et, dans un miraculeux sursaut de volonté, on tentait de faire comprendre aux « petits gars » sur le terrain (c'était à quoi se réduisaient désormais ces héros) ce qui était en jeu, en ayant recours pour cela à des exhortations rappelant l'ambiance des chantiers navals de jadis. En vain. Avant même la mi-temps, les « péquenots de Söderslätt » menaient par 2 à 0 et la joie maligne qui semblait habiter les joueurs de Trelleborg ne fit qu'assombrir encore l'humeur de Hjalle. Où qu'il se tournât, il ne voyait que des « petits gars » : sur le terrain, sur le banc de touche, parmi les dirigeants. Il ne parvenait pas à comprendre cela : le monde entier se préparait à fêter le nouveau millénaire, après une bonne centaine d'années de tergiversations la ville allait procéder à l'inauguration du viaduc sur le Sund, une université qui avait l'ambition d'être ouverte à tous – aussi bien le fils d'immigré de Rosengård nourri de fallafels que le fils à papa de Limhamn dévoreur de steaks – était en train de surgir sur le terrain des anciens chantiers navals. En un temps record et pour fêter dignement le changement de millénaire, un quartier entier allait surgir du sol dans la zone portuaire occidentale. Et, au milieu de cet enthousiasme, que faisait-on au sein du club qui comptait plus que tout le reste pour la ville ? Eh bien, son président et ses dirigeants faisaient en sorte que…

Hjalle ne parvenait pas à aller jusqu'au bout de cette pensée. Son ami Peo, pour qui le maillot bleu et blanc était aussi inséparable de son être que la brume de la plaine de Scanie, se fraya un chemin à travers la foule des places debout et alla se réfugier près de la palissade brun clair qui courait autour de l'arène. À l'évidence, il désirait être seul, en un moment aussi critique. Malgré les cris incessants des supporters réclamant à toute force « un but ! un but ! », il ne se passa rien d'important au cours de la seconde mi-temps et, à la fin de celle-ci, Peo offrit un curieux spectacle. Le MFF avait réussi à réduire le score et tentait à tout prix d'égaliser ; juste avant le coup de sifflet final, Hjalle détourna les yeux vers son ami et le vit le dos contre la palissade, les deux bras écartés, en position de crucifié. On dirait le Christ en croix, ne put s'empêcher de penser Hjalle.

Au même moment, l'arbitre siffla la fin du match et les gens, penauds, commencèrent à quitter le stade à grands pas comme s'ils s'imaginaient que, plus vite ils partiraient, moins la réalité s'imposerait à eux. Au bout de trois cents mètres, Hjalle s'avisa soudain qu'il avait la charge de six bambins. Il fit demi-tour et rebroussa chemin à contre-courant, avec le sentiment de tenter de remonter le cours d'un immense cortège funèbre en bleu et blanc.

Son plus jeune fils s'était enveloppé le visage dans l'écharpe du club, comme s'il souffrait d'une rage de dents.

– On peut dire qu'ils n'existent plus, pas vrai ?

– C'est vrai. Ils n'existent plus. Mais ils existent quand même, à leur façon.

La soirée fut difficile à oublier. Car non seulement il était tourmenté par cette enquête qui piétinait et par ce qui venait de se passer au stade, mais – cerise sur le gâteau en quelque sorte – il eut droit à une scène d'Ann-Mari qui lui reprocha vertement de « prendre le foot tellement au sérieux, bon sang ! alors que ce n'est qu'un jeu » et se moqua ouvertement, comme elle aimait le faire, de ces « vingt-deux types qui courent après une balle » en ajoutant avec cette stupidité qui le mettait hors de lui : « Pourquoi on ne leur en donne pas une à chacun ? » L'empoignade qui s'ensuivit mit un peu plus à mal leur vie conjugale déjà bien difficile et ne fit que renforcer son désir de prendre de la distance.

À bout de forces, il finit par s'endormir dans le fauteuil, devant la télévision allumée, une bouteille de Jack Daniels à moitié vide sur la table. L'écran récapitulait, à la page 344 du télétexte, les résultats de la journée de championnat. Quant à lui, les derniers mots, difficilement intelligibles, qu'il avait prononcés étaient à peu près les suivants : « Eh bien, qu'ils descendent, ces minables. Ça leur apprendra ! Qu'ils aillent se faire… »

9 septembre

C'était le genre de journée qu'il aurait volontiers rayée de son agenda. La dispute de la veille au soir planait au-dessus de la table du petit déjeuner. Il se dissimula derrière le numéro du jour d'*Arbetet** et, une fois les enfants partis pour l'école, Ann-Mari ne tarda pas à rejoindre à son tour son lieu de travail. Un moment plus tard, il était dans sa voiture, prêt à passer chercher Monica. Un affreux mal de tête lui rappelait tout ce qui n'allait pas dans le monde et sa collègue le reconnut à peine quand il s'arrêta dans Simrishamnsvägen pour la prendre à bord.

– Ça va ? lui demanda-t-elle avec une compassion dans le regard qui lui déplut fortement et l'incita à grommeler un bref salut en guise de réponse.

– On y va ? demanda-t-il.

– Bien sûr...

Elle prit place sur le siège et le regarda dans les yeux.

– Comment te sens-tu ?

S'il y avait une question qu'il en était venu à détester, au fil des ans, c'était celle-là. Comment se « sentait-il » ? Était-ce une question de sentiments ou d'olfaction ? L'une était aussi absurde que l'autre. Quelques années auparavant il était allé à Tällberg suivre une formation sous la conduite d'un psychologue d'Upplands Väsby censé apprendre aux membres de la police à « parler de leurs sentiments ». Alors que ceux-ci, de même que la sexualité et le football, étaient des choses qu'il voulait garder pour lui, enfouies dans un coffre-fort intérieur dont il était seul à détenir la clé.

– Quoi ? Qu'est-ce que tu veux dire ?

Il l'observa avec un regard aussi glacial que possible. Les nombreux interrogatoires qu'il avait conduits lui avaient appris à se composer un visage, face aux durs à cuire du crime. Elle comprit et changea de cap, pour éviter ces eaux noires dans lesquelles il était en train de chavirer.

---

* *Le Travail*, quotidien de gauche du sud de la Suède.

– Direction Rosengård, donc.

– Oui.

Dans la section musulmane du cimetière de l'Est une trentaine de personnes étaient réunies : Dragan, Predrag, Angela Philipsson, Gaja et quelques autres camarades de classe de Yasmina. Sa mère était également présente, avec Alisa, mais personne d'autre de sa famille. À part cela, il y avait des gens qui avaient pris connaissance de son histoire dans la presse et désiraient lui rendre un dernier hommage pour ce qu'elle avait osé être.

La mère de Yasmina pleurait toutes les larmes de son corps, tandis qu'Alisa maîtrisait son chagrin, comme la « brave petite fille » que Hjalle soupçonnait qu'elle voulait être. L'assistance forma un petit cortège funèbre, le cercueil contenant le corps de Yasmina fut sorti du corbillard et on se dirigea vers le cimetière. C'était un beau matin et la seule chose qui troublait la solennité de la circonstance était la rumeur de la circulation sur la rocade intérieure. Près de la tombe, l'imam procéda à une simple et belle cérémonie qui conféra à tous un sentiment de cohésion et même si, dans ses propos – d'abord en arabe puis en suédois – il n'exprima aucune approbation de ses choix de vie, il laissa percer une profonde sympathie envers elle : « Tu as été arrachée trop tôt à la vie, Yasmina, mais il y a une place pour toi au Ciel, et en nous, qui te pleurons de tout notre cœur, tu laisseras un grand vide. Nous sommes pourtant sûrs que tu es bien là où tu es maintenant et que celui ou ceux qui t'ont fait cela seront punis. Le Coran est catégorique et Allah voit tout. Tôt ou tard, Yasmina, ton ou tes bourreaux devront s'incliner devant le Tout-Puissant... »

Hjalle leva les yeux sans pouvoir croiser ceux d'Alisa. La fillette avait l'air étonnamment forte, tandis que sa mère, à côté d'elle, était écrasée de chagrin. À certains moments, ses pleurs étaient interrompus par des cris de désespoir qui glaçaient le sang. Que sais-tu, petite Alisa ? se demanda Hjalle. Que sais-tu de plus que ce que tu m'as dit ? Tu ressembles beaucoup à ta sœur, tu as les mêmes yeux, les mêmes cils, beaux et longs. Que vas-tu devenir, Alisa ?

Les pensées trottaient dans sa tête, en cette belle journée d'automne, et le soleil de septembre baignait les vastes pelouses et la Grande Muraille de Chine[*], derrière elles. Un morceau de bois très simple, sur lequel la mère de Yasmina et sa sœur avaient fixé une photo était tout ce qui distinguait la tombe. Une fois la cérémonie terminée, on se rassembla à la mosquée, où l'imam offrit le thé. La mère de Yasmina s'était un peu calmée et il échangea quelques mots avec elle et Alisa. Avant la dispersion, Dragan les serra longuement dans ses bras en pleurant.

– Je veux que vous sachiez que je l'aimais beaucoup. Je l'aimais, tout simplement, dit-il.

La mère le regarda, lui prit les deux mains en le fixant droit dans les yeux. Il n'y avait nul besoin d'interprète, en un pareil moment et, lorsque Predrag, Angela et Gaja eurent à leur tour serré la mère dans leurs bras, Hjalle et Monica sentirent qu'il convenait de faire de même.

Avant de partir, Hjalle s'avança vers Alisa.

– Prends bien soin de toi, ma petite. Et appelle-nous, s'il y a quoi que ce soit.

Elle lui rendit un regard appuyé, d'une profondeur qu'il n'y avait pas encore vue. La petite fille qui lui avait ouvert la porte de chez elle, quatre jours plus tôt, n'existait plus.

De retour à l'hôtel de police, il eut l'impression que tout le monde le regardait : dans le foyer, dans l'ascenseur, dans le couloir devant son bureau. Sa migraine s'était un peu calmée mais elle se faisait toujours sentir dès qu'il bougeait. Il n'osait pas penser à son haleine et n'avait nulle envie de dialoguer avec qui que ce soit. Le sentiment de paix qu'il avait éprouvé au cours de la cérémonie avait disparu, lui aussi, et il était à nouveau dans le quotidien. Sur sa porte, Strömberg avait apposé avec du scotch un formulaire de mandat avec la mention : « Pour les Jaunes, merci ! » Il arracha le morceau de papier et pénétra dans son bureau, dont il ferma soigneusement la porte, pour une fois. Il prit place à sa table de travail, alluma l'ordinateur mais pas le plafonnier, préférant la pénombre.

Son regard se porta vers le canal. Dans Drottninggatan le flot de voitures était ininterrompu dans les deux sens. Deux silhouettes

---
[*] Surnom donné à une imposante cité locative de la ville.

bien connues de SDF longeaient le quai avec peine, l'un à l'aide d'une béquille, l'autre d'un déambulateur sur lequel il transportait aussi un poste de télévision. Ce fut pour Hjalle l'occasion de méditer sur l'injustice du destin humain, en pensant tour à tour à Yasmina, au MFF et à Ann-Mari. Cela faisait des années qu'ils n'avaient plus de vie sexuelle digne de ce nom, tous les deux. Quelques mois de thérapie familiale avaient amélioré la situation pendant un certain temps, mais ils étaient maintenant de retour à la case départ, avec disputes, mutisme et idées de séparation à la clé. En la regardant au petit déjeuner, il avait parfois du mal à saisir comment il avait pu être tellement amoureux d'elle. Jadis. On ne revient pas en arrière, hélas, se dit-il en faisant apparaître à l'écran la demande de garde à vue qu'il avait commencé à rédiger la veille. Deux heures plus tard, il avait terminé. Monica la relut et l'expédia par fax au procureur, qui prit sa décision un peu plus tard dans la journée. À trois heures de l'après-midi, le 9 septembre, les frères Saïd furent interpellés et, une demi-heure après, ils étaient sous bonne garde à la maison d'arrêt de Porslinsgatan.

Monica et Hjalle avaient une semaine devant eux pour nourrir le dossier. Et pas mal de pain sur la planche.

12 septembre

– Tu l'as bien baisée, celle-là ! s'exclama Peo en voyant la balle de Hjalle s'élever dans l'air.

Un coup sec en plein milieu et elle s'envolait vers le green, par-dessus le rough, lui inspirant un sentiment de force et de légèreté à la fois. Satisfait, il remit son club tout neuf dans son sac puis regarda Peo : quand celui-ci frappa à son tour, il lui trouva l'air d'un vieil homme coupant du bois. La balle retomba dans un lac.

– Qu'est-ce qu'il faudrait que je fasse ? Mon entraîneur me dit de rentrer les épaules et plier les genoux. Et de lever un peu plus mon club. Qu'est-ce que t'en penses, Hjalle ?

Cesse de jouer au golf, Peo, c'est la seule solution, songea-t-il en se gardant de le dire tout haut :

– Il faut travailler plus au niveau des hanches, aller chercher de la puissance dans le mouvement de ton corps et pas seulement dans tes bras. Tu te contentes des bras, ça ne peut pas aller, Peo, dit-il en se dirigeant vers sa balle.

À sa grande joie, il constata qu'elle s'était arrêtée à trois mètres du drapeau. Il sortit le putter de son sac et balaya du regard le terrain de golf de Kvarnby. L'air était clair et dégagé et, depuis le green du six, on voyait loin. Au nord, on apercevait l'hôpital et la cathédrale de Lund. À l'ouest, la grue du chantier naval, le clocher de l'église Saint-Pierre et les immeubles de Rosengård se détachaient de la silhouette de la ville, derrière le brun des champs, sur lesquels rien d'autre ne bougeait que les tracteurs et les mouettes. Ce dimanche de septembre s'offrait à lui et il ne put s'empêcher de comparer le paysage de Scanie à une femme nue couchée sur le dos. Une rangée de peupliers séparait le ter-rain de la petite zone industrielle où se trouvait la casse d'Amir. De loin, cela ressemblait à ces favelas qu'on voyait de temps en temps à la télévision, avec leur entassement de baraques de guin-gois aux toits de tôle luisant au soleil. Entre elles se dressaient des piles de carcasses de voitures de toutes les couleurs.

On entendit soudain de la musique arabe percer le rideau de verdure, en un contraste saisissant avec le sport auquel se livraient les deux amis d'enfance. Hjalle crut voir Amir et Adi se déplacer dans la cour de l'une des plus grandes des casses et l'idée de leur rendre une visite surprise lui vint à l'esprit. En entendant la musique, le visage de Peo s'assombrit quelque peu.

– Même ici, ils ne vous laissent pas tranquilles, hein ?

– Qui ça ?

– Les Arabes.

– Ils te dérangent ?

– Me dérangent ? C'est peu dire. Tu crois quand même pas qu'ils viennent ici simplement pour vivre et travailler, hein ? Ils ont occupé l'Espagne et la moitié de la France pendant sept cents ans. Sans parler des Balkans, presque jusqu'à Vienne.

– À qui c'est de putter ?

Hjalle prit ses marques. Le terrain descendait légèrement vers la droite, ce qui rendait le coup difficile, sans pour autant qu'il soit impossible, et l'éventualité d'un eagle se mêla à la forte odeur de jasmin.

– C'est à toi, espèce de grand naïf.

Hjalle rit sous cape et se prépara. Il se concentra sur la balle, au son de cette musique orientale, et soudain, il vit à nouveau le visage de Yasmina se détacher de la pelouse de Pildammsparken et se mettre à planer au-dessus de la ville. On va faire un tour à leur casse, une fois le parcours terminé, pensa-t-il. Une petite visite, pas plus, pour juger de leur état d'esprit, maintenant que Hamid et Abou sont à l'ombre, s'entendit-il penser tout en frappant la balle avec la douceur d'une caresse et la voyant rouler vers le trou lentement et pensivement, comme si elle était dotée d'une vie autonome, et s'immobiliser un dixième de seconde au bord du trou avant de basculer dans celui-ci avec un petit bruit de goulot de bouteille qui lui tira des cris de joie.

– Elle est rentrée, bon sang !

C'était la première fois de sa vie qu'il réalisait un eagle et il ramassa sa balle avec un large sourire. Au bout de quatre putts, Peo en eut terminé lui aussi et il replanta le drapeau dans le trou avec une grimace.

– Pourquoi penses-tu que les Suédoises ne sont plus capables de retenir leurs excréments ? C'est à cause de la sodomie dont ces salauds d'Arabes ont introduit la pratique chez nous. Ils sont en train de nous prendre par-derrière, Hjalle, dans tous les sens du terme. Et le ramadan, si tu savais les problèmes que ça pose dans les écoles, de jeûner toute la journée…

– Je ne te savais pas aussi réac.

– Réac ? C'est bien parce que je ne le suis pas que je dis ce que je pense. Ils ont planifié ça, Hjalle, pour prendre à terme le pouvoir dans notre société – je ne dis pas dans dix ans mais peut-être cent. Le prénom masculin le plus courant à Malmö, aujourd'hui, c'est Mohammed. C'est clair, non ?

– Tu préférerais Ingrid ?

– Ah ah, très drôle. Je suis sérieux, moi. Et la famille Saïd est fière de ce qu'ils ont fait, t'as vu ? Ils en sont fiers, Hjalle !

– Ça n'a rien à voir avec l'islam, c'est un simple manque d'éducation. Il pourrait s'agir de chrétiens de Palestine, de Corses ou de Siciliens. Tu as lu le Coran ?

– Le Coran ? Non, pourquoi je l'aurais fait ?

– Je me disais seulement… mes parents sont allés passer trois semaines au Maroc, l'hiver dernier. Ils ne se sont jamais sentis aussi en sécurité qu'en marchant la nuit dans les rues de Marrakech. Alors qu'ici, ils n'osent plus se promener dans le centre de la ville. Ce que j'aime dans l'islam, c'est le respect des personnes âgées, qu'on a totalement perdu chez nous. Quand je t'entends parler, j'ai peur du noir.

– Il faut pas. Mes maîtres à penser, c'est les philosophes des Lumières : Rousseau, Diderot et le primat de la Raison.

Il avait le visage pourpre, en disant cela, et moulinait avec son fer pour s'apprêter à prendre le départ du sept.

– Qu'est-ce qui empêche ces lumières de nous illuminer, désormais ? Eh bien : les ténèbres de la religion. Et, par religion, je n'entends pas seulement l'islam mais aussi les israélites fascistes de New York et les chrétiens intégristes et anti-avortement des États-Unis. C'est ça, le mal, aujourd'hui, Hjalle, même si c'est l'islam le pire et s'il faut le combattre. C'est comme ça. Il ne faut pas que les jeunes filles aient le droit de porter le voile à l'école. C'est par là qu'il faut commencer. Ensuite, on pourra discuter de la viande de porc…

Peo avait écrit dans le journal du jour un article intitulé : « Les suspects du crime d'honneur de Kroksbäck derrière les verrous. » Il était pourtant célèbre pour sa prudence et sa rigueur, et Hjalle était surpris de le voir s'emporter ainsi. En voyant le coup de son ami atterrir dans un buisson à une dizaine de mètres sur la droite, il ne put s'empêcher de trouver cela symbolique. Rien ne peut vous faire perdre autant le contrôle de vous-même qu'un loupé sur un terrain de golf et, quand on manque tous ses coups comme le faisait Peo, cela en dit long sur votre état d'esprit, songea-t-il, soudain beaucoup plus enclin à l'indulgence.

– Quand tu penses au Moyen-Orient, poursuivit son ami. Pourquoi l'ONU s'obstine-t-elle à tenter de ramener la paix, là-bas ? À quoi ça sert ? Le mieux serait de se débarrasser des Juifs et des Palestiniens, sans ça, ils vont continuer ainsi pour l'éternité, grommela-t-il en plongeant le bras dans le buisson.

Deux heures plus tard, ils étaient sur le dix-huit. Peo était légèrement déprimé ; Hjalle, lui, marchait d'un pas allègre, car il n'était plus qu'à douze au-dessus du par. Au déjeuner, la bonne humeur était revenue entre eux, malgré tout.

– Qu'est-ce que tu en penses ? demanda Peo en enfournant une pomme de terre.

– Si tu me promets de ne pas me citer...

– D'accord.

– Je crois que c'est eux. Je t'ai déjà dit qu'on a des indices probants, des témoignages dignes de foi et on les a entendus tous les deux menacer de la tuer. Mais, en même temps, je me méfie de ce Niclas Hjälm.

– Pourquoi ?

– Un mélange d'alcool, de musculation et de déception amoureuse qui me met la puce à l'oreille. À l'heure du meurtre, il était dans le secteur et même tout près.

Peo promena une pomme de terre dans sa sauce au vin, but une gorgée de boisson aux airelles et fixa Hjalle dans les yeux.

– C'est clair comme du jus de chique, quoi. Et sinon, comment ça va pour toi ?

Ils se connaissaient depuis si longtemps qu'il était inutile d'essayer de se mentir.

– Comme ci comme ça. Entre Ann-Mari et moi, ça pourrait aller mieux, c'est le moins qu'on puisse dire...

Peo ne le lâchait pas du regard et il préféra détourner le sien vers le terrain.

– Tu as rencontré quelqu'un d'autre ?

– Si seulement. Mais hélas, non, répondit Hjalle avec un sourire.

– Sûr et certain ?

– Ouais. Et toi, où en es-tu sur ce front-là ?

Peo eut un sourire las. La question n'avait guère de sens, en ce qui le concernait. Il avait toujours mené une vie de célibataire et, à part quelques aventures de courte durée vers ses vingt ans, sa vie amoureuse était un désert. Il avait appris à s'en accommoder et à en rire, même avec Hjalle.

– Je me demande si je ne vais pas passer une annonce...

– Encore une ?

– « Célibataire endurci, styliste hors pair, golfeur lamentable, amateur de bonne chère à profusion et de soirées au coin du feu, cherche femme d'âge mûr... »

– Chasteté garantie ! compléta Hjalle en éclatant de rire.

– Exactement. « Assurez vos arrières » quoi, ajouta Peo avec un clin d'œil ambigu.

Ils se séparèrent sur une bonne tasse de café.

Hjalle mit à exécution l'idée qu'il avait eue sur le sixième trou, prit sa voiture et se dirigea vers la zone industrielle de Kvarnby. D'instinct, plus que pour une raison bien définie, il se gara à une certaine distance de l'entreprise d'Amir. Tout était calme dans le secteur. Non loin de là, on entendait un chien de berger aboyer paresseusement, comme si quelqu'un jouait avec lui. Une semaine plus tôt, l'endroit avait fait la une des journaux à cause d'un règlement de comptes entre deux familles qui s'était terminé en bataille rangée sur Kvarnbyvägen. Il ne se rappelait plus la raison de la bagarre mais l'endroit était connu pour être un lieu de trafics : voitures et pièces détachées changeaient de main d'une façon qui n'était pas toujours en parfaite conformité avec la loi.

La porte de la casse d'Amir était entrouverte et Hjalle y pénétra sans se faire remarquer. Sa première idée fut de se diriger vers le bureau des deux frères. Pourtant, quelque chose dans l'atmosphère l'incita à choisir une autre stratégie. Il se faufila donc vers le vaste dépôt. La musique orientale y résonnait plus fort qu'ailleurs, mais il entendit aussi deux voix qui lui parurent discuter âprement. Il se dissimula derrière un tas de carcasses et, de là, à travers le pare-brise cassé d'une Saab, il vit les deux hommes. Amir, fort en colère, brandissait une clé à mollette.

Non loin de son aîné, Adi affichait une mine soucieuse qui n'était pas exempte de peur, non plus. Hjalle s'approcha en catimini. C'était Amir qui parlait mais en arabe, naturellement, ce qui l'empêchait de comprendre quoi que ce soit. Soudain, il crut distinguer le nom d'Alisa, qui revenait plusieurs fois. Puis il entendit « naturalisation », en suédois cette fois, au milieu du flot en langue étrangère. Adi avait l'air résigné maintenant, il n'avait plus peur mais était découragé et à bout de forces. Quoi qu'il en soit, Hjalle eut le sentiment qu'Alisa était en danger.

Un moment plus tard, il quitta la casse. Depuis la voiture il appela Monica et lui demanda de faire placer la fillette sous protection policière.

13 septembre

La situation des deux frères n'avait guère évolué, en matière de preuves. Il n'avait pas été possible d'établir la présence de la Mazda d'Amir près du pavillon Margareta, ni de trouver leurs empreintes sur le corps ou les vêtements de Yasmina. Une nouvelle audition d'Amir n'avait rien donné non plus. Un véritable mur se dressait autour de la famille Saïd. Les parents d'Alisa empêchaient celle-ci d'aller à l'école. Amir était au travail avec son frère et l'agent chargé de surveiller les deux familles à Sörbäcksgatan n'avait rien à signaler. Le temps passait sans que rien ne se produise et Hjalle commençait à s'inquiéter de la décision du procureur. L'audition de différents amis de Niclas Hjälm avait un peu éclairci la situation de ce côté-là. Deux d'entre eux l'avaient vu pénétrer dans le parc vers deux heures du matin mais certifiaient qu'il était à peine capable de marcher et, quant à savoir comment quelqu'un qui était dans cet état aurait pu poursuivre Yasmina, la plaquer au sol, la violer et ensuite lui tordre le cou, c'était pour Hjalle une énigme qui l'incitait à rayer Niclas de la liste des suspects.

Monica vint prendre place dans son bureau avec une mine qu'il trouva bien guillerette.

– Qu'est-ce qui se passe ? Tu as gagné au loto ?

– Non, je vais suivre une formation.

– Laquelle ?

– Technique d'interrogatoire, à Tällberg, pendant deux semaines.

Il sentit son humeur s'assombrir et la suite n'arrangea rien.

– Après, j'irai à Göteborg pour terminer mes études. J'ai été admise à suivre un cours de sexologie qui peut m'être utile pour mon mémoire de fin d'études à l'École Supérieure de Police. Au programme : les hommes, la violence et le viol. Je partirai au début du mois de novembre et reviendrai ici en janvier, pour reprendre mon poste, j'espère.

L'idée de ne plus avoir Monica à proximité le déprimait et il n'osait pas pousser la réflexion au-delà. À la place, il voyait Peo lui demander : « Tu as rencontré quelqu'un ? » Pas vraiment, mais il y a quelqu'un que j'aime bien. Avec qui j'apprécie de travailler, c'est tout, aurait-il pu répondre.

– Parfait. La sexologie ? C'est pas mal, ça.

– C'est une matière qui est relativement nouvelle à l'université et qui fait maintenant partie de la formation de base des gynécologues, ainsi que des psychiatres.

Ne voulant pas paraître navré de son départ, il fit mine d'être « content pour elle ». Il y parvint d'ailleurs si bien qu'il se demanda soudain si elle n'allait pas s'imaginer qu'il était heureux d'être débarrassé d'elle.

– Si on pouvait seulement traîner ces deux sales types devant le tribunal avant que tu partes, ce serait encore mieux. Si tu vois ce que je veux dire.

– J'aimerais bien, moi aussi. Est-ce qu'on ne pourrait pas procéder à une dernière descente à Sörbäcksgatan et à la casse, et tout passer au peigne fin ? Ce serait un moyen de retarder de quelques jours la décision du procureur. Qu'est-ce que tu en penses ?

Hjalle n'y vit aucune objection et, quelques heures plus tard, des techniciens de la Scientifique fouillaient à nouveau de fond en comble les appartements de Sörbäcksgatan, ainsi que la casse d'Amir.

14 septembre

Au domicile, l'opération ne permit pas de réunir de nouvelles preuves contre les deux frères. À la casse, en revanche, on trouva un mouchoir brodé qui appartenait à Yasmina, d'après Angela. Les agents purent aussi constater que le parfum de ce mouchoir – appelé Eterica – était celui qu'elle portait la nuit où elle avait été tuée. Amir était incapable d'expliquer comment ce morceau de tissu avait atterri là, pas plus que les taches qu'il portait. Hamid, lui, reconnut l'avoir trouvé dans la voiture quand il s'était rendu à la casse, le lendemain de la découverte du corps mais, comme il ne savait pas ce que c'était, il s'en était servi pour essuyer une tache de graisse avant de le jeter dans un coin.

Ce mouchoir était le seul élément nouveau car le relevé téléphonique n'avait révélé aucun appel de portable au cours de la période en question, du moins sur les appareils, fixes ou mobiles, des différents membres de la famille Saïd.

15 septembre

Hjalmar Lindström était dans son bureau. Dans le journal du matin, il avait pris connaissance d'une manifestation « contre les crimes d'honneur et l'invasion arabe », organisée par le parti Scanien et divers sympathisants d'extrême droite. Une centaine de personnes s'étaient réunies à Kroksbäck pour « condamner l'agression » mais aussi, d'après le journal, pour « apporter leur soutien aux femmes arabes ayant accepté les notions occidentales d'égalité et de démocratie ».

Il regarda sa montre. Il était une heure de l'après-midi. Dans deux heures, le procureur aurait décidé s'il demandait une mise en examen ou si Hamid et Abou devaient être relâchés. Par la fenêtre du troisième étage, Hjalle avait vu Amir et un certain nombre de ses amis près de voitures garées dans Porslinsgatan. À leur attitude, il avait pu juger à la fois de leur nervosité et de leur optimisme, car ils fumaient et riaient comme s'ils attendaient le résultat d'une course de chevaux.

Le ciel était bas, on aurait dit qu'il cherchait à l'enfoncer dans ses chaussures. Le matin, une nouvelle dispute avec Ann-Mari avait aggravé le mal, mais ce n'était pas tout. Il possédait une étrange disposition – selon lui – à prévoir les décisions du procureur et, quand Monica et lui prirent place près du fax, à trois heures, il avait un mauvais pressentiment.

À l'heure dite, l'appareil, un vieux modèle, cracha la réponse. C'était ce qu'il avait prévu : « Les preuves réunies contre les frères Abou et Hamid Saïd ne constituent pas une base suffisante pour justifier une mise en examen pour le meurtre de Yasmina Saïd. Nonobstant les indices recueillis... » Quand Monica comprit le sens de ce jargon juridique, elle alla se poster près de la fenêtre et explosa :

– Je refuse de croire ça !

Hjalmar éprouvait un sentiment analogue, mais il se contenta d'afficher un sourire las et résigné. Rien ne pouvait l'étonner, désormais, en matière de législation, d'avocats, de procureurs et de procédures. Il estimait que tout était possible et la grande question était de savoir pourquoi un petit rouage de la machine juridique comme lui – simple terrassier au pied de la montagne – avait encore la force de réunir ces faits, ces détails et preuves, procès après procès, alors qu'avocats et procureurs se fichaient totalement de lui et de ses collègues. Il était membre de ce prolétariat de l'enquête qui faisait tout ce qui était en son pouvoir pour favoriser la manifestation de la vérité. Et c'était cela qui l'irritait le plus, à savoir que cette dernière ne semblait revêtir aucun intérêt et laissait la place à un charabia bureaucratique autarcique, un quitte ou double à la mode du jour dont les participants étaient si éloignés du crime qui les avait réunis dans la salle d'audience qu'il ne restait plus trace de souffrance, de culpabilité ou de mort dans leur langage ni dans leurs gestes. Ce qui s'y passait n'avait plus rien à voir – à supposer que c'eût jamais été le cas – avec le désir de découvrir la vérité. Ce n'était guère qu'un jeu de rôles dans lequel le prestige et l'ambition l'emportaient. Les participants s'appelaient avocats – lesquels faisaient la fine bouche en sachant parfaitement que leur client était coupable –, jurés et juges – lesquels infligeaient des peines si ridicules que c'était à pleurer –, et enfin procureurs – lesquels préféraient poursuivre les gens ordinaires pour une infraction commise à bicyclette plutôt que les criminels organisés propageant dans le corps social les tumeurs du cancer de la délinquance.

Il n'y avait que deux mots qui s'imposaient, en pareil cas, et, lorsqu'il les prononça, il lut sur le visage de Monica qu'elle était entièrement d'accord avec lui :

– Et merde !

La déception était générale, et pas seulement à l'hôtel de police. L'affaire avait fait grand bruit et la famille Saïd – au premier chef Amir et les siens – avait dû être placée sous protection policière. Hjalmar prenait donc cette décision pour une défaite personnelle et avait du mal à se concentrer sur d'autres tâches. Ses pensées ne cessaient de revenir à Yasmina, gisant sur le dos dans Pildammsparken.

Un matin de la mi-octobre, Alm, de la Scientifique, fit son apparition dans son bureau. En dépit d'un travail souvent très déplaisant et sanguinolent, il avait toujours le sourire. Mais, ce jour-là, Hjalmar eut peine à le reconnaître, tant il semblait préoccupé.

– Je suis navré, Hjalle, le labo s'est planté. Et nous aussi, par la même occasion.

– De quoi s'agit-il ?

– De Hjälm.

– Niclas Hjälm ?

– Oui. On a trouvé des fibres provenant du haut de Yasmina sur son pull. Vu les soupçons pesant sur les deux frères, j'ai mis ça de côté. Et puis j'ai tout oublié. Aujourd'hui, on a reçu ça de Linköping.

Il posa sur le bureau le résultat du test ADN et Hjalle le prit.

– Dès le début, on a décelé des traces d'ADN de diverses personnes. Celui de Dragan et d'autres. Et maintenant, on a découvert celui de Niclas Hjälm, sur son front. L'échantillon de salive a tout simplement été oublié. Incroyable mais vrai. Les fibres peuvent dater d'un autre jour. La salive, elle, prouve qu'il était sur place. Le doute est totalement exclu, hélas, conclut Alm en regardant gravement son collègue.

Niclas Hjälm était assis devant lui, dans la salle d'audition. Cette fois, il était assez pâle et paraissait plus petit, comme si sa masse musculaire avait réduit. Sa silhouette s'était affaissée et il semblait fragile. Cela faisait plusieurs semaines qu'il n'allait plus en cours.

– Comment ça va, Niclas ?

– Comme ci comme ça. Pas terrible…

– Tu sais pourquoi je désire t'entendre à nouveau ?

– Oui.

– Si on essayait de passer en revue ce qui s'est passé ce soir-là, encore une fois, Niclas ? Tu veux quelque chose, au fait : du café, une viennoiserie ou une limonade ?

Lindström appliquait là une méthode couramment utilisée dans les années 70 et qui avait reçu le nom de « coup de la viennoiserie ».

– J'ai soif. Alors, une limonade.

Un moment plus tard, Niclas avait un Fanta entre les mains. Il serrait convulsivement la bouteille, comme s'il lui attribuait des pouvoirs magiques.

– Si on commençait chez tes copains, chez Pidde ?

Niclas regardait le mur, devant lui, et semblait vraiment déployer de gros efforts.

– Je crois que je suis arrivé vers neuf heures. On a regardé, comment déjà, *Apocalypse Now*, en buvant de l'alcool maison. Je me suis soûlé et j'ai fini par me sentir mal. Les autres voulaient sortir et on s'est engueulés à ce sujet, je crois. En tout cas, moi je suis resté, avec quelques autres. On a fait de la musique et regardé un film porno, il me semble. Enfin, on s'est pas mal marré, quoi. Et puis je suis parti, mais je sais pas à quelle heure.

– D'après tes copains, il était deux heures, Niclas.

– Je suis sorti, sans doute que j'ai gerbé, et puis je me suis dirigé vers le parc…

– La fois précédente, tu as dit que tu avais *contourné* le parc, Niclas, je ne sais pas si tu t'en souviens. Et tes amis t'ont vu du haut du balcon. Ils déclarent que tu ne marchais certes pas très droit mais que tu as *pénétré* dans le parc. Qu'est-ce que tu en dis ?

– Je me souviens plus très bien…

Il baissait les yeux vers la table et parlait d'une voix si faible que Hjalmar avait du mal à comprendre ce qu'il disait.

– Parle plus fort, Niclas, s'il te plaît. Quel chemin as-tu pris ?

– Je suis peut-être entré dans le parc…

– Peut-être ?

– Je suis entré dans le parc, oui.

– Et qu'est-ce qui s'est passé, ensuite ? Quand as-tu appelé Yasmina ?

– Je crois que c'est en sortant de l'immeuble. Ou en descendant l'escalier. Peut-être assis sur une marche.

– Tu lui as parlé ? Où était-elle ?

– Elle m'a dit qu'elle était dans une voiture.

– Laquelle ?

– Celle d'un de ses copains, Dragan, je crois, mais je suis pas sûr. Elle m'a pas dit qui c'était.

– Pourquoi ne nous as-tu pas expliqué ça plus tôt ?

– Parce que je ne m'en souvenais pas.

– Qu'est-ce que tu te rappelles d'autre, maintenant ?

– Que je suis tombé, dans le parc…

Sa voix se faisait de plus en plus ténue et on avait l'impression qu'il allait se mettre à pleurer. Soudain, il se tut et eut l'air absent.

– Niclas ?

Hjalmar frappa légèrement sur la table, pour le ramener à la réalité.

– Eh là ?

– Je suis tombé par terre, je crois. J'ai dû m'assoupir un moment et c'est le froid qui m'a réveillé. Et puis je me suis enfoncé dans le parc...

Soudain, il s'effondra et Hjalmar eut beaucoup de mal à distinguer ce qu'il disait. Les mots se mêlaient à des sanglots et étaient séparés par de longs silences.

– En arrivant sur Tallriken... la pelouse, je vois quelque chose sur le sol. Au début, je saisis pas de quoi il s'agit. J'ai peur... et puis je vois que c'est un cadavre... dans une position bizarre... et, pour finir, je m'approche, je crois... ça s'est effacé de mon esprit pendant un mois... c'est avant-hier que ça m'est revenu, au moment où j'allais m'endormir... c'était... Yasmina... elle était complètement... morte, j'ai essayé de la ranimer... et puis, quand j'ai compris, je l'ai embrassée sur le front, et ensuite je me suis éloigné très vite, j'ai essayé de courir... parce que je me disais que je risquais d'être soupçonné... après ça, tout ce que je me rappelle, c'est que je me suis réveillé au stade, tard le matin, sur une des pelouses de Lorensborg, pas très loin de chez moi.

– Ce n'est pas ce que tu m'as raconté la dernière fois.

– Je sais.

– Pourquoi ne m'as-tu pas dit ça ? D'après toi, tu avais contourné le parc, avant de rentrer chez toi.

– Je me souvenais pas...

– Mais maintenant, tu te rappelles ? demanda Hjalmar en fixant dans les yeux un Niclas de plus en plus fragile.

La bouteille de Fanta était vide et pourtant il la serrait toujours dans sa main.

– Oui.

– Elle était donc morte, quand tu l'as trouvée ?

– Oui, je crois.

– Tu ne lui aurais pas, par hasard, donné rendez-vous dans le parc par téléphone ?

Niclas ne sut quoi répondre. L'automne avait été pour lui un long cauchemar. Au début, cette soirée était restée plongée dans le noir le plus total. Il ne se souvenait plus de rien entre *Apocalypse Now* et son réveil au stade. Le reste était effacé. Puis c'était revenu, peu à peu. Sa chute, dans le parc, la façon dont il s'était relevé, et enfin l'image de Yasmina, l'autre jour, au moment de s'endormir.

Maintenant, il avait tout raconté. Et pourtant, il n'était pas sûr que ce soit réellement arrivé. De l'avoir vraiment vue et touchée. Il ne se rappelait plus s'il avait convenu de quelque chose avec elle par téléphone. Ni s'il l'avait frappée. C'était cela, le pire : cette incertitude.

– Je ne sais pas.

– Ah bon ? Alors, je suggère que tu ailles te reposer un peu, Niclas. Repense à ça calmement et reviens me trouver. C'est important que tout soit strictement exact.

Deux heures plus tard, Hjalmar procéda à la suite de l'audition. Les faits nouveaux étaient assez accablants pour Niclas. Il avait un mobile vraisemblable (l'amour, la déception et l'humiliation devant les copains), il était sur le lieu du crime et la trace de salive sur le front de Yasmina constituait une preuve matérielle. Pourtant, derrière la façade musclée qu'il affichait, on décelait une fragilité qui inspirait des doutes à Hjalmar et, tant que de nouveaux indices ne venaient pas étayer cette hypothèse et que Niclas ne se souvenait de rien d'autre, il n'osait se risquer à rédiger une nouvelle demande de mise en garde à vue. Il décida donc d'attendre.

L'interrogatoire de Niclas accrut encore son sentiment d'échec et, à la mi-novembre, il prit une semaine de RTT. Il emmena Micke avec lui à Barcelone, où ils virent le Barça affronter Valence dans un Camp Nou plein à craquer. Puis ils louèrent une voiture pour se rendre sur la Costa Brava, où il était encore possible de se baigner. À son retour, ses idées noires s'étaient dissipées, il n'était pas homme à les ruminer. Peu à peu, les feuilles se mirent à tomber – scellant le destin de Yasmina Saïd. Il avait été impossible de réunir d'autres indices, que ce soit contre les frères Saïd ou contre Niclas Hjälm, et il finit par se concentrer sur d'autres tâches. De ce point de vue, la brigade criminelle était un excellent employeur : on ne risquait pas d'y manquer de travail.

Fin novembre, Monica donna des nouvelles de Göteborg, au téléphone. Elle venait d'entendre parler d'une affaire de coups et blessures à Malmö, qui entretenait peut-être des liens avec celle sur laquelle elle avait travaillé.

Hjalle, qui en savait un peu plus que ce qui en était dit dans le journal, lui raconta le reste.

— Hamid a été retrouvé sans connaissance, gravement blessé, dans Holmaparken. Ce n'est pas moi qui suis chargé de l'affaire, mais on soupçonne Dragan et ses amis. Hamid refuse de parler, il est aux soins intensifs, sous surveillance policière.

— Qu'est-ce qu'on sait ?

— Rien. On pense qu'il a été enlevé quelque part en ville, battu et déposé près de chez lui. Dans le même temps, quelqu'un a tenté de mettre le feu à la casse d'Amir.

— Hamid a été entendu ?

— Oui, mais il est muet comme une carpe. Il a l'air d'avoir peur, comme son père.

— Et Dragan ?

— On n'a rien pu prouver contre lui, seulement il semble qu'il se soit vanté haut et fort devant ses amis et, sur la chemise de Predrag, un de ses copains si tu te souviens, il y avait de petites taches de sang laissant penser à des actes de brutalité. Or, ce sang est celui de Hamid.

— Et alors ?

— Predrag sera condamné. Dragan, lui, passera entre les mailles du filet. Je prends les paris.

— Hum. Comme ça, Hamid aura quand même été puni.

— Oui, si on peut dire. Si on veut.

— Qu'est-ce que tu entends par là ?

— Je ne sais pas, je ne suis plus aussi sûr de moi. En fait, j'ai maintenant des doutes sur le compte de ce Niclas Hjälm, à nouveau. Je trouve qu'il y a des zones d'ombre dans ce qu'il raconte.

— Telles que ?

— Il a vraiment très mauvaise mémoire, il en était venu à détester Yasmina et maintenant on sait qu'il était sur le lieu du crime.

— Quoi ?

— On l'a entendu une nouvelle fois et il a reconnu avoir vu le cadavre et même avoir embrassé Yasmina sur le front alors qu'elle gisait sur le sol. Morte.

— Tu plaisantes ?

— Non.

— Pourquoi ne faites-vous rien ?

– Il y a toujours trop de choses qui sont mal établies, et je n'ose pas demander une mise en examen, tout simplement. On essaye toujours de réunir des indices et on a des gens qui continuent à travailler sur l'affaire. Étant donné ce qui s'est passé sur les lieux, le fait qu'on l'a poursuivie et jetée à terre, qu'elle s'est peut-être relevée et enfuie, qu'on l'a rattrapée, que le coupable l'a violée et lui a brisé la nuque, pour finir, on devrait trouver des traces sur les vêtements de Hjälm. Des poils, des cheveux et des trucs comme ça. De plus, on peut se demander si un type qui est ivre à ce point est vraiment capable de faire tout ça.

– Mais s'il n'était pas aussi soûl qu'il le prétend ? Et si ses copains mentaient ?

– Je sais. Seulement, les traces de fiesta dans l'appartement, la façon dont ses copains parlent de lui, plus le fait que Hjälm avait encore de l'alcool dans le sang le lendemain, tout cela confirme ses dires. Mais bon, on ne lâche pas le morceau, Monica, comme je te l'ai déjà dit.

– Tu me tiens au courant, s'il se passe quelque chose ?

– Promis.

– Et Angela Philipsson, où en est-on avec elle ?

– À ton avis ?

– Je ne sais pas...

– Le jugement a été rendu la semaine dernière. L'avocat est parvenu à convaincre le jury que l'ecstasy avait été introduite chez elle par Yasmina – du fait qu'elle en avait dans le sang quand on l'a retrouvée. On lui a aussi attribué les vingt grammes de canna-bis, même s'il « n'était pas possible d'exclure » qu'Angela ait été dans le coup. Mais, étant donné « sa scolarité et ses perspectives d'avenir », ajouta Hjalmar non sans ironie dans la voix, la cour a estimé qu'il serait regrettable que « son casier judiciaire en porte trace ». Notre petite garce – excuse l'expression, Monica ! – a donc pu quitter le tribunal la tête haute et le sourire aux lèvres. Et je n'ai pas besoin de te raconter les commentaires que j'ai entendus et le genre de regard qu'ils m'ont adressé, son père et elle. *Capito* ?

Il y eut un silence, avant que Monica ne dise :

– C'est pas vrai...

– Aussi vrai que tu me parles à moi, Hjalmar Georg Lindström, je t'assure.

— La petite salope !

— C'est toi-même qui le dis, hein ? fit Hjalle, soulagé.

Nouveau silence avant que Monica ne reprenne la parole.

— À part ça ?

Il sursauta. Au cours des trois semaines pendant lesquelles elle avait travaillé à ses côtés, elle ne lui avait jamais posé ce genre de question personnelle. À part ça ? Que répondre, au juste ? Comment allait-il ? Et d'ailleurs, en quoi cela la regardait-il ? Le fait que son ménage malheureux avec Ann-Mari n'avait pas encore sombré corps et biens était un paradoxe qu'il était incapable d'expliquer, pas plus qu'il n'avait la force d'avouer que l'affaire Yasmina lui avait laissé des bleus à l'âme. À cela s'ajoutait l'humiliation de la relégation du MFF.

— Ça va pas mal, merci. Et toi ? Tu vas revenir chez nous, ou quoi ?

— Oui. Au nouvel an. En principe. Joyeux Noël, en attendant.

— Toi de même, répondit Hjalle en riant, étant donné que l'Avent n'avait pas encore débuté.

— On se verra au prochain millénaire, alors.

— C'est ça. Prends soin de toi.

— Toi aussi, mais…

— Quoi ? demanda Hjalle, à la fois ému et mal à l'aise à cause de l'attention qu'elle lui portait.

— J'ai bien aimé travailler avec toi. Tu es un bon flic, Hjalle, et j'espère qu'on aura de nouveau l'occasion de collaborer. On a eu une sacrée déveine, quoi, c'est tout. J'espère qu'on aura l'occasion de prendre notre revanche. Salut, dit-elle en raccrochant.

Hjalmar resta le combiné à la main. Puis il se sourit à lui-même et raccrocha. Monica Gren. Jeune et jolie branche*. Qui es-tu au juste ? Un bon flic ? Et moi, j'en suis un ? Ça alors, bon sang ! se dit-il en tentant de se rappeler la dernière fois où on lui avait adressé des compliments.

Mais pas moyen.

_____

* *Gren* signifie branche.

5 décembre

C'était le second dimanche de l'Avent et, comme le voulait la tradition, la famille Lindström était au restaurant Översten. Les garçons descendirent au bowling, pendant que Hjalle et Ann-Mari appréciaient le calme, la vue du haut du dernier étage de l'hôtel, le café et le cognac. Le pont sur le Sund était presque terminé et on apercevait les pylônes et l'arc élégant du tablier, à travers la pénombre de l'hiver. Un peu plus près, les bâtiments de la piscine d'eau de mer formaient un carré de couleur verte, un peu au large de la côte. Mais, où que se portât son regard, il ne voyait que des lieux de crimes. La ville dans laquelle il avait grandi et qu'il aimait tant avait changé, non seulement d'un point de vue objectif, du fait de ce viaduc la reliant désormais à Copenhague, mais aussi intérieurement, subjectivement. Il lui arrivait parfois de regretter le temps où il n'était pas inspecteur de police et où il pouvait encore contempler la ville et l'existence avec les yeux candides de l'enfant ou du lycéen. Il n'était pas devenu cynique, comme certains de ses collègues, mais un léger malaise s'était emparé de lui.

Il se retourna, pensif, vers Ann-Mari qui sirotait son verre de cognac puis tirait une grosse bouffée sur sa cigarette.

– Tu imagines, dans toutes ces rues, là, partout il y a des gens...

– Et alors ?

Elle ne le suivait pas toujours très bien, quand il se mettait à philosopher.

– Tu pourrais prendre n'importe laquelle de ces rues, et tu trouverais de la merde partout : de la drogue, de la violence, des abus sexuels. Tu n'as pas idée...

– Tu as l'intention de changer de boulot ?

– Ce n'est pas ce que je veux dire, seulement je suis frappé, à certains moments, de constater que ça ne s'arrête jamais, que ça existe partout et même là où on s'y attend le moins. Dans chacune de ces rues, dans chaque cage d'escalier de cette foutue ville, il y a quelqu'un qu'on a dans nos fichiers, bon sang...

– Au fait, qu'est-ce qu'elle est devenue, cette affaire de

crime d'honneur dont on a tellement parlé dans les journaux, à l'automne ?

– Les deux frères ont été placés en garde à vue, mais pas mis en examen, on n'avait pas réuni assez de preuves contre eux. On a toujours des gars qui sont sur le coup, pourtant.

Ann-Mari regardait par la baie vitrée, rêveuse, comme si elle n'écoutait pas vraiment.

– Tu es heureux avec moi, Hjalle ?

Fidèle à elle-même, elle changeait de sujet, suivant une logique intérieure qu'il n'était jamais parvenu à tirer au clair. Jadis, il aimait cela ; maintenant, cela l'inquiétait. Il fit attendre sa réponse.

– Honnêtement, précisa-t-elle.

– On forme une belle famille, que j'aime, dit-il en portant son ballon de cognac à sa bouche.

– Es-tu heureux avec moi ? répéta-t-elle.

Il la regarda, conscient de la réponse à faire mais n'osant pas la formuler.

– Je suis heureux avec toi et avec notre famille, Ann-Mari. Qu'est-ce que tu dirais d'une partie de bowling ?

Elle le regarda d'un air soupçonneux.

– Est-ce que tu as réfléchi à cette thérapie ?

– Oui. Et je ne suis pas décidé. Je ne crois pas qu'on en ait besoin et puis ça coûte cher. Je considère que nous n'en avons pas les moyens, tout simplement.

– Tu sais ce que je pense, moi ?

– Non.

– Que nous n'avons pas les moyens de *ne pas* la suivre. Maintenant, tu connais mon avis, à moi aussi, Hjalle, dit-elle en se levant et se dirigeant ostensiblement vers le vestiaire en faisant onduler ses longs cheveux. Hjalle resta à attendre le serveur, sa carte de crédit à la main. Soudain, il vit le reflet de son propre visage dans la baie vitrée : ses yeux noirs au regard rêveur, sa petite barbe grisonnante et ses traits sensibles, un peu mous. Il se dit que cette image trahissait une certaine lassitude, sans pour autant pouvoir s'empêcher de penser : Je suis pas mal de ma personne, bon sang ! Et, comme pour se prélasser un peu dans cet agréable sentiment, il posa l'une de ses mains sur son ventre, pour constater qu'il n'avait pas pris un gramme.

– Pas mal et pas trop bedonnant, se répéta-t-il à voix basse.

Derrière cette image, une vingtaine d'étages plus bas, sur Mariedalsplanen, il vit deux équipes de football courir dans tous les sens. Il était impossible de distinguer la balle, seulement les déplacements des joueurs sur le terrain. De frêles silhouettes dans la nuit d'hiver, pensa-t-il.

Que sommes-nous d'autre que cela : de frêles silhouettes dans la grande nuit, en effet ?

Deuxième partie

12 janvier

Les drapeaux claquaient au vent, lorsque Hjalmar Lindström poussa la porte pivotante de l'hôtel Sheraton. Il y avait déjà pris l'ascenseur, avec ses enfants, lors de l'inauguration. Un jour, ils étaient montés et descendus quarante fois, entre le foyer et la salle de gymnastique, tout en haut. Il était donc bien placé pour comprendre que la direction ait fini par interdire ce genre de pratique, se dit-il au moment où la porte s'ouvrait, au dixième étage.

Il salua de la tête Ingemar Carlberg, le médecin légiste, et les deux agents de la Scientifique, Lennart Nilsson et Alm. En voyant la femme étendue sur le lit, il se prit à penser aux plantureux modèles du peintre Anders Zorn*, tant elle était blonde et robuste, et rayonnait de beauté et de maturité.

Il s'était attendu au pire, mais le corps était à peu près intact et il fut soulagé de constater uniquement des lésions cutanées, des contusions sur le visage et des traces de sang sur le sexe.

Il se tourna vers Carlberg, qui en avait vu pas mal dans le genre, au fil des ans.

– Alors ?

– À part le fait qu'elle a la nuque brisée, le corps ne porte pas de traces de violence. Pourtant, ces poils, sur l'oreiller, peuvent laisser penser qu'elle a été tirée par les cheveux et la présence de sperme dans son vagin permet de présumer un viol.

– À quelle heure ?

– Difficile à dire, répondit Carlberg en enfilant ses gants en plastique.

Nilsson, lui, était en train de recueillir des empreintes digitales sur le téléphone.

– Qu'est-ce que tu en dis, Lennart ? Tu as trouvé quelque chose d'intéressant ?

– L'argent, sa carte d'identité et sa carte de crédit sont toujours dans son sac. On dirait qu'il ne manque rien. En revanche, on peut se poser des questions sur ces fleurs.

---

* Anders Zorn (1860-1920) Peintre de la ruralité suédoise, connu pour ses modèles bien en chair.

Il désigna du geste un vase contenant deux roses dont il tira une carte bien dissimulée.

– « Je t'aime, Anna. Et je t'aimerai toujours, tu le sais. Anders », lut Hjalle, qui s'aperçut alors qu'un certain nombre de membres du personnel l'observaient.

– Je désire parler à tous ceux d'entre vous qui ont vu ou entendu quelque chose d'intéressant. À cet étage, dans une chambre vacante, dès que possible.

Un homme qui se présenta comme étant portier de jour promit de prendre les dispositions nécessaires pour cela et écarta deux de ses camarades de travail du seuil de la porte. Hjalle resta seul, le petit bristol à la main.

– « Anders » ?

Ni Carlberg ni aucun des techniciens ne prêta attention à ce qu'il disait. Le premier se contenta de donner libre cours à sa colère :

– Il n'aurait pas pu se contenter de la violer ? Il a fallu qu'il la mette en petits morceaux, en plus. Aussi facilement qu'une allumette et sans plus de ménagements.

– Pas de trace de lutte ?

– Pas des masses, répondit Alm. Sa culotte est déchirée et il y a un cendrier renversé sur le sol, rien d'autre.

– Drame passionnel, donc ? suggéra Hjalle.

– Je ne vois pas beaucoup de passion, ici, rétorqua Carlberg. Il l'a violée de sang-froid, peut-être même sous la menace d'une arme. Dans ces conditions, les fleurs font l'effet d'une plaisanterie assez cynique.

– Anna Hagberg, née le 6 juin 1958, lut Hjalle sur la carte d'identité de la défunte.

Nilsson lui tendit une carte de visite un peu plus explicite.

– Consultante en management ? Qu'est-ce que c'est que ce charabia ?

Nilsson secoua la tête, imité par Alm. Carlberg regarda les trois policiers, l'air surpris.

– Et ça se dit membres de la police, soupira-t-il. C'est quelqu'un qui conseille les cadres des entreprises sur la façon de les diriger.

– On est bien avancés, répondit Hjalle d'un air pincé.

L'un des portiers de jour avait mis à leur disposition une des chambres vacantes du même étage, pour que Hjalle puisse procéder à l'audition des membres du personnel. Sous l'intitulé « Itinéraires alternatifs de carrière », Anna Hagberg était venue parler à une centaine d'invités, dans la salle de réunion baptisée Svansjön, au troisième étage, de questions de management. D'après la liste des participants posée sur la table, environ soixante-dix d'entre eux avaient passé une nuit, voire deux, à l'hôtel. Un bref examen permettait d'en relever quatre prénommés Anders. Monica Gren, de retour de Tällberg et Göteborg avec le grade d'inspecteur, avait noté les noms : Anders Bengtsson, Anders Clarberg, Anders Hjulin et Anders de La Motte. Puis elle s'était enquise de leur numéro d'identité personnel et avait consulté les fichiers de la police. Elle avait en outre demandé à ses collègues de Porslinsgatan d'éplucher la liste des auteurs de crimes sexuels de la région pour savoir lesquels étaient en prison et lesquels bénéficiaient d'une autorisation de sortie au moment des faits, sans oublier ceux qui avaient été mis en examen pour des faits similaires sans avoir été condamnés.

Pendant ce temps, Hjalmar continuait à interroger le personnel et, en l'espace d'une demi-heure, il eut à sa disposition ceux qui étaient chargés de l'entretien, plus les réceptionnistes et les portiers de service. La récolte fut maigre mais Katja Dolenec, la femme de ménage ayant découvert la victime, lui rapporta dans un suédois approximatif un fait qui lui parut intéressant. Pour s'assurer qu'il avait bien compris, il lui demanda de répéter. Elle le regarda alors d'un air de supplication, comme si elle s'imaginait qu'il ne la croyait pas :

– Je dis à vous : cette femme j'ai vu au dix-septième étage, à une heure et cinq minutes hier. Je sais parce que je sais presque toujours quelle heure elle est. Trois enfants à l'école appeler moi sur portable quand seuls à la maison. Et moi toujours regarder montre. Une heure et cinq minutes elle prendre ascenseur. Au dix-septième.

– Vous êtes bien sûre ?

– Je suis très sûre. Elle venir de couloir avec roses dans les mains. Et joues rouges. Joues très rouges.

– Seule ?

– Tout à fait seule. Et heureux.

– Heureuse ?

– Oui, très heureuse.

– Comment le savez-vous ?

– Moi, femme aussi et savoir quand femme heureuse.

– Vous n'avez vu personne avec elle et vous ne savez pas de quelle chambre elle venait ?

– Non.

– Et elle a pris l'ascenseur pour descendre ?

– Je crois. Elle attendre près ascenseur, en tout cas.

En consultant sa liste, Hjalle constata qu'Anders Hjulin occupait la chambre 173. Il cocha son nom et procéda à l'audition du reste du personnel.

À part les déclarations de cette femme de ménage, les seuls propos intéressants furent ceux de l'une des réceptionnistes au sujet d'Anna Hagberg.

– Quelle force, quel regard, quel... Comment dire ? Elle était enthousiaste, animée d'une flamme. Je n'ai pas pu éviter de le noter, quand j'ai enregistré son arrivée. Elle a demandé *El País*, le journal espagnol. Je lui ai dit que j'allais le lui apporter et, quand je suis revenue, un homme la serrait dans ses bras avec un peu plus d'ardeur qu'il ne convient entre simples collègues.

– Comment était-il ?

– Grand, brun, bien habillé. Costume clair. Un jeune type élégant, tout simplement.

– Jeune type.

– Oui, il m'a paru nettement plus jeune qu'elle. La trentaine, environ.

– Elle avait quarante ans, pour sa part. Était-ce l'un des participants à cette journée de formation ?

– Sans doute, mais je ne peux pas le jurer.

– Il n'a pas demandé de clé ?

– Pas à moi, en tout cas.

Hjalle nota le numéro de téléphone de la femme de ménage et celui de la réceptionniste avant de mettre fin aux auditions. Au même moment, le portier de jour entra dans la pièce et posa sur la table la liste des appels téléphoniques passés par Anna Hagberg : un chez elle et quatre à Anders Hjulin, chambre 173. Et un autre en Espagne. Une fois seuls, Hjalle se tourna vers Monica.

– Il nous reste deux choses à faire, pour l'instant. La première et la plus pénible est d'aller annoncer la nouvelle à la famille, à Bjärred. Ensuite, prendre l'autoroute pour Hjärup, où habite Anders Hjulin – c'est bien là, n'est-ce pas ? Et ce ne sera pas beaucoup plus agréable.

– C'est ça, en effet, répondit Monica après avoir vérifié sur la liste qu'elle avait entre les mains, pour plus de sûreté.

Une fois dans Vittskövlevägen, à Bjärred, Hjalle réduisit l'allure devant le numéro cinq, maison de plain-pied en brique rouge avec deux genévriers à l'entrée, un espace découvert sur le devant et une entrée de garage sur laquelle stationnait une Saab 9000. Deux luges avaient été jetées négligemment non loin de là, ce qui ne fit qu'accentuer encore la gêne qu'il ressentait. Devant la fenêtre de la cuisine brillait une belle lanterne de neige joliment fabriquée. Derrière la vitre, on voyait quatre personnes, un homme et trois enfants dont il était malaisé de dire l'âge. L'aîné pouvait avoir dix ans ou un peu plus. Hjalle passa devant la maison sans s'arrêter et se gara à une centaine de mètres de là, puis regarda sa montre.

– À quelle heure commence *Bolibompan* ?

– Quoi ?

– L'émission enfantine ?

Il avait beau avoir cinq enfants, tous des garçons, il n'était pas très au fait de la grille de la télévision suédoise.

– Six heures ou six heures et quart ?

– Je ne sais pas. Pourquoi ça ?

– On attend un moment. J'ai vu le père et les enfants, ils étaient à table.

Il baissa la vitre pour sentir un peu la fraîcheur du dehors. Une bourrasque glaciale venue de Lommabukten l'obligea à la remonter en vitesse. Il était heureux d'avoir à nouveau Monica Gren à ses côtés. Non qu'il ait pensé à elle à chaque instant, mais l'affaire Yasmina lui avait permis de constater qu'ils s'entendaient bien, professionnellement parlant. Cela s'arrêtait là, et cela lui avait aussi suffi, à certains moments, pour souhaiter travailler de nouveau avec elle.

La meilleure façon de ne pas savoir, c'est de ne pas demander, pensa-t-il.

– D'où es-tu, au juste ?

– D'Uppsala. Pourquoi me demandes-tu ça ?

– D'Uppsala ? Je veux dire : originellement, en quelque sorte.

– Pourquoi « en quelque sorte » ? répliqua-t-elle avec un sourire.

– Parce qu'il ne doit pas y avoir des milliers de Coréennes, à Uppsala.

– Détrompe-toi. Il y en a des tas. Près de Fyrisån, on se croirait à Chinatown.

– Mais…

– Je viens de Phusan. J'ai été adoptée à l'âge d'un an, alors que j'étais dans un foyer d'enfants. C'est tout ce que tu veux savoir ?

– Excuse-moi : je suis affreusement curieux. C'est de naissance. Ou une déformation professionnelle. Et tes parents ?

– Ça ne te suffit pas ? Je n'en ai aucune idée.

– Tu n'es jamais allée là-bas ?

– Jamais.

– Jamais ?

– Non. Et je n'en ai pas très envie non plus, je crois. Est-ce que tu serais curieux de savoir qui t'a déposé sur les marches d'un commissariat, dans une couverture, à l'âge d'un an, toi ?

Par la fenêtre, Hjalmar apercevait un coin du Sund et quelques pins pliés par la tempête. La question de Monica le tira de sa rêverie et l'amena à s'interroger. L'image de Sonja et Rune, ses valeureux parents qui l'avaient soutenu en toutes circonstances, s'imposa à son esprit, il revit le Malmö des années 50 et imagina un petit paquet humain devant le commissariat de Davidhallstorg. Pas un mot d'explication ni d'identification. Rien qu'une frimousse implorant la pitié.

Monica le regarda droit dans les yeux.

– À vrai dire, non, soupira-t-il, de nouveau amené à réfléchir à la Vie avec un grand V.

Partout où on grattait un peu la surface, la tragédie affleurait.

– C'est l'heure, coupa-t-il en descendant de voiture. Notre-Père qui êtes aux cieux, marmonna-t-il. Pourvu que tout se passe bien.

Du haut du perron, il plongea le regard dans la cuisine et vit un homme en polo noir qui lui tournait le dos, devant l'évier. Sur la table étaient posées quatre assiettes contenant les reliefs d'un repas. Il sonna et la porte s'ouvrit aussitôt. Devant lui se tenait un petit garçon de cinq ans avec une balle en plastique noir et blanc à la main.

– Papa ! Y a quelqu'un ! s'écria l'enfant en se mettant à jongler avec sa balle.

Le père ne tarda pas à arriver. Il avait la quarantaine, portait des lunettes et une barbe grisonnante qui lui mangeait une grande partie du visage. Hjalle crut lire dans son regard une certaine inquiétude.

– Qu'est-ce que c'est ?

– Hjalmar Lindström, police criminelle départementale, et Monica Gren. Vous êtes bien Göran Hagberg ?

– Oui.

L'homme s'essuya les mains sur le torchon qu'il tenait pour saluer ses visiteurs. Hjalle nota que sa poignée de main était molle, presque inerte.

– Nous aimerions vous parler. Seul à seuls, de préférence.

Göran Hagberg ôta ses lunettes avec un gros soupir.

– Va retrouver les autres dans la salle de séjour, Greger, papa viendra plus tard. Quand il aura parlé à ce monsieur et à cette dame.

Hjalmar perçut un soupçon d'accent de Göteborg dans la voix de cet homme.

– À propos de maman ?

La question fit l'effet d'un coup de poignard, mais le père l'esquiva rapidement.

– Je ne crois pas. Va donc.

Le garçon s'éloigna à pas lents avec sa balle. Hjalmar et Monica entrèrent dans la cuisine.

– Asseyez-vous. Du café ? J'en ai de prêt...

– Volontiers, répondit Monica, imitée par Hjalmar.

Ils prirent place à la table de cuisine, que Göran Hagberg débarrassa rapidement avant de sortir des tasses à café. Hjalmar attendit que tout soit terminé et que le silence s'installe dans la pièce pour en venir à l'inévitable.

– Vous vous doutez peut-être de la raison de notre présence ici ?

– Non... Il s'agit d'Anna ? Il lui est arrivé quelque chose ? Elle devait prendre l'avion pour Oslo, hier. Qu'est-ce qu'il y a ?

– Votre femme a été assassinée, hier, à l'hôtel Sheraton de Malmö. Dans sa chambre. Nous avons aussi des raisons de penser qu'elle a été violée, avant d'être tuée.

Hjalle posa le sac d'Anna sur la table et son mari le prit distraitement, avant de s'effondrer sur sa chaise, les yeux noyés de larmes. Monica se leva et alla passer le bras autour de ses épaules. Hjalmar, pour sa part, poursuivit :

– Nous ne savons pas encore qui est le coupable.

Göran Hagberg le regarda, secoué de sanglots, et le policier eut l'impression que l'homme qu'il avait en face de lui et qui pleurait toutes les larmes de son corps avait vieilli de dix ans en l'espace de quelques secondes. De la salle de séjour leur parvenait le son des actualités sportives de la soirée, à plein volume.

– Pouvez-vous nous indiquer le nom de quelqu'un qui serait susceptible de vous venir en aide ?

– Mon Dieu, sanglota l'homme. Ce n'est pas vrai. Anna. Ma chère petite Anna. Ma chérie. Qui... mais qui donc...

Hjalle attendit qu'il ait un peu repris ses esprits pour lui poser quelques questions.

– Vous a-t-elle paru semblable à elle-même, ces derniers temps ?

Göran Hagberg donna l'impression de se ressaisir légèrement, il se redressa et regarda par la fenêtre.

– Oui.

– Vous n'avez pas l'air d'être très sûr...

– Non.

– Vous n'avez pas eu l'occasion de nourrir des doutes sur sa fidélité, par exemple ?

Un éclair de haine passa dans les yeux de Göran Hagberg, qui tendit le bras avec tant de brusquerie que Monica sursauta.

– Il ne vous suffit pas qu'elle soit morte ? Qu'est-ce que vous voulez, maintenant ? Cracher sur sa mémoire ?

Hjalmar s'attendait à cette réaction.

– Au contraire. Nous cherchons à savoir la vérité. Vous aussi, je suppose, au fond de vous-même. N'est-ce pas ?

Hagberg s'effondra de nouveau, totalement désespéré.

– Je ne sais pas. Disons que... elle voyage beaucoup pour son travail et elle devait partir pour Oslo hier. J'ai trouvé bizarre qu'elle ne m'appelle pas, comme elle le fait toujours dans ces cas-là. Mais ça lui est arrivé d'oublier, aussi. J'étais inquiet, c'est normal. Et c'est tout. Pourtant, j'ai constaté sur son relevé de compte postal qu'elle avait acheté un voyage en Espagne et j'avais l'intention de lui poser la question à son retour d'Oslo.

Puis il poursuivit, comme si une vérité était en train de se faire lentement jour en lui :

– Elle était très belle, ces derniers temps, et j'étais très heureux de la voir ainsi, aussi merveilleuse que quand nous nous sommes mariés, il y a dix ans. Cela date d'environ trois mois. Des vêtements neufs et de nouveaux parfums. Mais je ne sais pas, je ne suis pas méfiant de nature et je suppose que je n'ai pas saisi...

– Auriez-vous connaissance de quelqu'un avec qui elle aurait eu un compte à régler ? Ou dont elle aurait pu tomber amoureuse ?

– Non. Personne n'avait de compte à régler avec Anna. Je l'aurais su. Amoureuse ? Non...

– Réfléchissez bien. Personne dans le cercle de vos connaissances ?

– Non.

– À son travail ?

– Non...

– Vous n'avez pas l'air très affirmatif.

Hagberg regardait dans le vague, comme s'il avait été vidé de toute son énergie :

– Hjulin, finit-il par murmurer.

– Qui ça ?

– Hjulin.

– Anders ?

– Mmm. Elle était en affaires avec lui, à propos d'un dépôt de soumission, je crois. Il y a trois mois de ça. Elle parlait beaucoup de lui, à ce moment-là, et il est venu ici, un soir. Je l'ai trouvé agréable et ils avaient l'air de bien s'entendre sur le plan professionnel. Vous croyez que c'est lui ?

Hjalmar croisa son regard. S'il y avait un être au monde auquel il aurait aimé venir en aide, en cet instant, ç'aurait été cet homme à moitié effondré sur la table de sa cuisine et dont les enfants regardaient la télévision sans se douter de rien. D'un moment à l'autre, la maison entière allait exploser sous la violence du désespoir.

– Nous n'avons aucune certitude, mais il figure au nombre des personnes auxquelles nous désirons poser quelques questions.

Hjalmar et Monica restèrent sur place jusqu'à l'arrivée des parents de Göran Hagberg, une demi-heure plus tard. Hjalmar estima alors qu'ils n'avaient plus rien à faire là. Hagberg était manifestement sous le choc, mais il se reprit assez vite et appela divers amis et connaissances. Il n'allait pas manquer de soutiens et ils pouvaient donc quitter les lieux la conscience tranquille.

Hjalle prit la route en direction de Lund.

– Il faut qu'on prenne quelque chose. Je t'invite.

Un peu plus tard, ils s'installaient dans un café qui venait d'ouvrir sur Mårtenstorget, à Lund. Une abondante averse de neige se déployait devant leurs yeux et les pensées de Hjalle s'envolèrent vers Yddingen, le lac situé près de Svedala où il faisait du patin à glace avec ses enfants dès qu'il gelait. En tant que nouveau membre de l'Association des Patineurs sur Glace de Scanie, il imaginait déjà un week-end de rêve – avec les enfants en train de jouer au bandy* sur un terrain déneigé de frais et lui-même se hâtant de gagner le lac, les pointes autour du cou et les pensées prêtes à partir n'importe où, ivre de liberté et de tout ce qu'un dimanche d'hiver peut comporter de plus agréable.

– Qu'est-ce que tu penses de lui ?

C'était Monica qui le tirait de ses rêveries.

– De qui ?

– Hagberg.

– Tu crois qu'il a quelque chose à voir avec ce qui s'est passé ? Cela ne m'a même pas effleuré. Et encore moins maintenant, après l'avoir eu en face de moi et avoir vu son univers s'écrouler. Si cet homme est coupable, c'est que je manque tellement d'intuition que je suis prêt à démissionner le jour où il sera mis en examen.

Monica but une gorgée de son café crème en regardant la place.

– Est-ce qu'on ne devrait pas lui demander ce qu'il faisait hier à l'heure des faits, pourtant ? Il faut envisager toutes les hypothèses, non ?

---

* Sport semblable au hockey sur glace, mais qui se joue avec une balle et en plein air, sur un terrain de la taille de ceux de football.

Il fut légèrement froissé et ce sentiment fut renforcé par la mauvaise conscience qu'il nourrissait de s'être immiscé avec tant de maladresse dans la vie privée de Monica. N'y aurait-il pas l'ombre d'un reproche dans ses propos ? Et de quel droit – alors qu'elle venait tout juste d'être nommée inspecteur – critiquait-elle son travail ?

– Je comprends ce que tu veux dire. Et tu as raison en un certain sens, disons : « objectivement ». On doit envisager chaque possibilité, suivre chaque piste. Aucun témoignage n'est à négliger. Il faut tout prendre en compte, si on veut. Ce qui n'empêche pas que, poursuivit Hjalle en sentant le rouge lui monter aux joues, à la différence de certains autres, j'ai une expérience non négligeable des enquêtes criminelles et que, par voie de conséquence, je possède – ou j'ai acquis – des connaissances qui me servent de trame et peuvent se révéler utiles dans les affaires en cours. Disons que c'est un mélange de savoir et d'intuition, et, dans le cas présent, cette intuition me dit que Göran Hagberg n'a rien à voir avec cette affaire. *Nada* !

Elle le regarda en silence, but une nouvelle gorgée et lui répondit :

– Voilà donc le « sentiment » de l'inspecteur Lindström – en disant cela, elle agita deux de ses doigts en l'air pour souligner les guillemets qu'elle mettait au mot sentiment – qui mène l'enquête. Et ce « feeling » – nouveaux guillemets en l'air – l'emporte sur le bon sens et les facteurs objectifs. Je me demande seulement...

« Je me demande où c'est passé ? » Un lointain écho des Beach Boys* lui traversa l'esprit, tandis qu'il observait ce visage de femme asiatique devant lui. Impossible de déterminer la part de volonté de comprendre et celle de donner des leçons, de l'ironie et de l'humour, voire de pure et simple insolence, dans de tels propos. Quelque chose dans le ton de la voix de Monica lui rappelait aussi la façon dont il s'exprimait lui-même à ce stade de sa propre carrière. Elle avait raison. Mais il avait « encore plus raison ». Pourtant, il n'avait pas la force de lui expliquer pourquoi. Pas pour le moment. Il regarda sa montre, comme pour lui préciser que l'instant était mal choisi pour une discussion sérieuse sur les rapports entre les circonstances objectives et l'intuition.

---

* Il s'agit de la chanson *Sloop John B*, dont ce sont les paroles dans la version suédoise.

– Excuse-moi, Monica, mais je ne peux pas rentrer dans ces considérations. On n'a pas le temps, Hjulin nous attend et c'est urgent.

– C'est de lui qu'il faut s'occuper, d'après ton intuition...

Hjalle se leva.

– Non. Pas mon intuition, mais mon « feeling », comme tu dis.

– Je comprends, se hâta-t-elle de répondre avec un sourire qui rendit son calme à Hjalmar, non sans lui inspirer l'idée qu'il devait rester sur ses gardes.

Il avait l'impression d'être observé, voire surveillé, comme si, par sa seule façon d'être, Monica remettait en question les bases sur lesquelles reposait l'exercice de ses fonctions. Mais c'est parfait ainsi, se dit-il tandis qu'ils regagnaient la voiture. L'heure est venue d'une bonne douche qui me débarrasse de toute ma crasse.

La demeure d'Anders Hjulin était située un peu à l'écart d'un lotissement de maisons mitoyennes de couleur brune. C'était un beau bâtiment en bois et le vaste espace couvert de neige qui l'entourait était ceint d'une clôture basse peinte en noir sur le fond de laquelle se détachaient un bosquet de genévriers et trois beaux bouleaux. Au centre, près d'un majestueux sapin illuminé, une guirlande d'ampoules électriques en forme de renne grandeur nature attirait le regard.

Ce spectacle fit sourire les deux inspecteurs. La lumière qui brillait aux fenêtres de cette maison en bois blanc était fort accueillante et, une fois de plus, Hjalle fut en proie au sentiment déplaisant de venir gâcher une fête. Il sonna et, peu après, une jeune femme aux cheveux blonds en queue-de-cheval ouvrit la porte. Deux grands yeux bleus dévisagèrent Hjalle et Monica.

– Bonjour...

– Bonjour, nous sommes de la police criminelle départementale. Je suis l'inspecteur Hjalmar Lindström et voici ma collègue, Monica Gren. Nous aimerions parler à Anders Hjulin.

Le beau visage innocent se troubla. Derrière, ils virent une vaste salle de séjour aux belles et chaudes couleurs. Le genre de pièce dans laquelle on devrait se sentir le bienvenu, eut-il le temps de penser avant que la femme ne s'étonne :

– Pardon ?

Il répéta sa présentation aussi bien que sa question et, cette fois, c'est une inquiétude indubitable qui s'inscrivit sur le visage de celle qui les avait accueillis.

– Anders ? Oui, bien sûr. Il est là-haut, avec les enfants. C'est à quel sujet ?

– Nous avons simplement quelques questions à lui poser. Nous pensons qu'il a pu voir certaines choses à l'hôtel Sheraton, où il était hier.

– Comment ça, voir ?

– Nous parlerons de cela avec lui, en privé, si vous voulez bien avoir l'amabilité d'aller le chercher.

– Entrez, je vous prie. Je vais monter prendre la relève.

La femme monta l'escalier tandis que Hjalmar et Monica prenaient place chacun sur un canapé. Devant eux se trouvait une table basse débordant de jouets. Une grande baie vitrée aux bois en mauvais état donnait sur la plaine et on distinguait les contours d'une église, dans la pénombre hivernale. Les lueurs de l'autoroute voisine étaient visibles, au nord, et un vaste ciel étoilé – le premier de l'année, s'avisa Hjalle – dominait le tout. Il posa un petit bloc-notes et un stylo sur la table, et, l'instant d'après, des pas se firent entendre dans l'escalier. Un homme de grande taille et au visage très pâle apparut.

– Anders Hjulin, se présenta-t-il à voix basse en leur tendant la main.

Hjalle le dévisagea et n'eut aucun mal à se figurer que c'était lui que la réceptionniste du Sheraton avait décrit comme « grand et bien habillé ». En même temps, il produisait une impression de faiblesse et de vulnérabilité qui l'incitait à douter que la personne qu'il avait devant lui ait réellement pu tuer Anna Hagberg.

Il se présenta une nouvelle fois, ainsi que sa collègue, et Anders Hjulin se laissa tomber sur le canapé, près d'elle. Des cris d'enfants en provenance de l'étage suscitèrent un sourire d'excuse un peu nerveux sur son visage.

– J'étais en train de coucher les enfants, et ce n'est pas toujours chose facile, vous ne l'ignorez pas… Mais de quoi s'agit-il ?

– D'une certaine Anna Hagberg, que vous connaissez, nous semble-t-il…

La mine de Hjulin se ferma, comme pour se défendre, tandis qu'il hochait la tête.

– Vous étiez collègues, n'est-ce pas ?

– Oui. Il lui est arrivé quelque chose ?

– Vous la connaissiez bien ?

– Assez, pourquoi cela ? Nous avons travaillé ensemble pendant un peu plus de trois mois. Nous avions un *case* pour Tetra Pak.

– Un *case* ?

– C'est-à-dire un contrat de consultant courant sur un certain temps, et nous étions en train de leur faire de nouvelles propositions. Mais de quoi s'agit-il ? Qu'est-ce qui s'est passé ?

Hjalmar parcourut le paysage du regard, puis lorgna en direction de Monica avant de reprendre la parole. La mine vulnérable de Hjulin avait laissé la place à une autre expression, de méfiance cette fois.

– On a retrouvé le corps d'Anna Hagberg, ce matin vers dix heures, dans sa chambre de l'hôtel Sheraton de Malmö. Elle était morte depuis une vingtaine d'heures, à ce que nous avons pu déterminer...

Anders Hjulin cacha son visage dans ses mains. Il avait de grands doigts de pianiste, selon l'idée que s'en faisait Hjalmar. Étaient-ce aussi des doigts d'assassin ? Et pourquoi des roses, pourquoi un viol ? Lorsque Hjulin releva les yeux, ceux-ci étaient pleins de larmes. Il ne pleurait pas à la façon ouverte et désespérée de Göran Hagberg, et pourtant c'était pour de bon, quoiqu'en silence. À l'étage, on entendit l'un des enfants pousser des cris.

Lindström et Gren restèrent sans rien dire, attendant que ces bruits se calment.

– C'était quelqu'un de merveilleux, Anna. C'est incompréhensible. Totalement incompréhensible. Comment est-ce arrivé ?

Tu le sais très bien, mon ami, pensa Hjalle. Mieux que quiconque.

– Elle a d'abord été violée, puis son agresseur lui a brisé la nuque. Sur sa table de nuit était posé un vase contenant deux roses et une déclaration d'amour sur une carte signée « Anders ». La liste des appels de l'hôtel prouve que vous vous êtes entretenus à quatre reprises. Trois fois au cours de la même matinée.

– Que voulez-vous dire ?

– Nous voulons dire que nous pensons qu'Anna Hagberg et vous entreteniez une relation qui sortait du cadre strictement professionnel.

– Mais je ne suis pas le seul à m'appeler Anders, voyons ! Il devait y en avoir cinq ou six, rien que parmi les participants à cette journée.

– Bien entendu. Mais au dix-septième étage il n'y en avait qu'un. Vous. Et on a vu Anna Hagberg quitter cet étage – où elle n'avait rien à faire, objectivement, puisque la salle de conférences est située au troisième, celle du repas et du petit déjeuner, au second, et sa propre chambre au dixième – peu après une heure, hier. Or, vous avez quitté l'hôtel à deux heures moins cinq.

– Et alors ?

Anders Hjulin était désormais totalement sur la défensive et il faisait penser à un matou prêt à se battre à la vie à la mort.

– Que faisait-elle dans votre chambre et depuis quand durait cette relation entre vous ?

– Qu'est-ce que c'est que ces âneries, enfin quoi ! Et qui est-ce qui vous donne le droit de venir insinuer n'importe quoi dans ma propre maison ? C'est toute ma vie. Nous l'avons rénovée de nos propres mains, ma femme est architecte d'intérieur. Nous avons deux petits enfants, des jumeaux, nous sommes heureux ensemble et vous avez le culot de venir ici essayer de faire voler tout ça en éclats. Vous n'avez pas honte ? Hein ?

La face de Hjulin était passée du blanc à l'écarlate. Il s'étira, toute sa personne changea et il parut soudain aux policiers beaucoup plus imposant qu'au premier abord. Hjalle se prit à douter du bien-fondé de sa dernière question et il s'efforça de changer de tactique.

– Parlez-nous un peu de ce « case », comme vous dites. En quoi est-ce qu'il consistait ? Y avait-il beaucoup d'argent en jeu ?

Hjulin se calma, semblant retrouver la terre ferme sous ses pieds.

– Beaucoup, en effet. C'était un contrat représentant des millions. Il s'agissait de transférer, en l'espace de deux ans, un grand nombre d'employés de cette entreprise vers d'autres postes, mais aussi de venir en aide à ceux qui se trouvaient en surnombre pour leur permettre un atterrissage en douceur, au moyen d'indemnités de départ et autres mesures de ce genre.

– Et comment deviez-vous vous répartir les tâches ?

Hjulin parut réfléchir. Un amateur aurait compris que cela cachait quelque chose. Mentir ou ne pas mentir ? pensa Hjalle.

– C'était là le problème, en effet.

Ne pas mentir, donc.

– Pourquoi cela ?

– Elle voulait 60 %. Moi 50 et non pas 40.

– Et alors ?

– Mais nous étions en train de trouver une solution. Ce n'était pas un différend de fond, entre nous. Vraiment pas.

– Il n'en portait pas moins sur quelques centaines de milliers de couronnes, n'est-ce pas ?

– C'est exact. Trois cent mille, pour être précis.

– Et donc ?

– Je vous l'ai déjà dit. Nous étions en train de trouver une solution.

– En Espagne, peut-être ?

– Comment ça, en Espagne ?

– Vous aviez tous deux retenu des places sur un vol de la SAS pour Barcelone, demain soir, au départ de Kastrup, l'aéroport de Copenhague.

Les yeux d'Anders Hjulin allèrent se perdre dans la pénombre de la plaine et quelque chose parut s'effondrer en lui. Hjalle reconnut un phénomène familier : le désir de tout avouer perçant soudain le mur du mensonge. Hjulin se tassa sur le canapé et raconta l'affaire depuis le début : à l'origine, il s'était inscrit à un cours de consulting en management donné par Anna mais, au bout de deux mois, il s'était aperçu qu'il était tombé amoureux d'elle. Pendant un autre mois, il avait tenté de refouler ce sentiment et, trois mois auparavant, il n'avait pu s'empêcher d'avouer sa flamme à son professeur, qui s'était aussitôt jetée dans ses bras. Depuis cela, ils entretenaient une liaison aussi passionnée que clandestine dans laquelle le travail se mêlait à l'amour d'une façon « formidable et absolument bouleversante » pour tous les deux, d'après ses propres mots.

Le jour du meurtre, ils s'étaient réveillés dans la chambre d'Anna, avaient fait l'amour et pris le petit déjeuner ensemble sans que quiconque « s'aperçoive de quoi que ce soit », puis Anna avait fait sa conférence – à sa façon toujours aussi merveilleusement détendue – et, après le déjeuner qu'ils avaient pris à des tables différentes, ils s'étaient retrouvés une dernière fois dans sa chambre à lui pour faire à nouveau l'amour. C'est alors qu'il lui avait donné les roses. Et la carte qui les accompagnait. Et c'était à ce moment-là qu'ils avaient décidé de se retrouver à Kastrup, deux jours plus tard, pour passer le week-end à Barcelone, où elle voulait lui montrer la cathédrale inachevée de Gaudí, le Barrio Gótico et les Ramblas.

Mais c'était également là qu'il avait pris une tout autre décision, selon lui :

– Quand elle est partie, je suis resté allongé sur le lit. J'adorais la toucher, la voir, l'entendre, et puis soudain, au moment où elle franchissait le seuil en m'envoyant un baiser de la main, un sourire de bonheur sur les lèvres, j'ai décidé de rompre. Quand la porte s'est refermée, j'ai vu la maison où nous sommes en ce moment, les bouleaux, l'énorme travail de rénovation que nous y avons accompli, le dévouement inouï d'Annika, nos jumeaux. J'ai compris, avec la clarté de l'évidence, l'ampleur de ma faute. Et tout s'est abattu sur moi comme un coup de massue : c'est terminé.

Le silence s'installa dans la vaste pièce. Par une petite fenêtre restée ouverte, on entendit la pétarade lointaine d'un vélomoteur. Hjalle explosa :

– Et, au lieu de rompre, vous l'avez suivie et tuée dans sa chambre. Dans un moment de confusion mentale, mais aussi dans l'espoir de sauver votre famille et, peut-être, de gagner quelques centaines de milliers de couronnes de plus sur votre « case », si je ne me trompe ?

Anders Hjulin pouffa de façon presque inaudible, non sans une légère dose de mépris. Hjalle eut le désagréable sentiment d'avoir commis une erreur d'appréciation. Il regarda Monica, qui n'avait pas dit un seul mot au cours de cet entretien. Bizarrement, il eut l'impression de lire sur son visage la même chose que sur celui de Hjulin : la méfiance.

– Non, reprit ce dernier à voix basse. Anna figure parmi ce qui m'est arrivé de plus merveilleux dans ma vie. Elle m'a donné confiance en moi, à la fois en tant qu'homme et dans l'exercice de ma profession. Je ne pourrais jamais faire quoi que ce soit de ce genre. Jamais de la vie.

Hjalmar fouilla le visage de Hjulin comme pour y lire l'aveu qui résoudrait tout. Mais celui-ci gardait désormais le silence et semblait ne rien avoir à ajouter.

– Vous sentez bien que nous n'en avons pas terminé avec vous. Je vous prie donc de rester à notre disposition au cours des prochains jours. J'espère m'être fait comprendre ?

– Parfaitement.

Au moment où ils prenaient congé de Hjulin et quittaient la maison, Hjalle entendit la femme de ce dernier descendre l'escalier. Il n'enviait pas sa situation. Dans la voiture qui les ramenait à Malmö, Monica prit la parole pour la première fois depuis plus d'une heure.

– Et maintenant ?

– On viendra l'interpeller demain matin. Je vais demander au procureur un mandat d'amener pour interrogatoire. Je n'aurai pas de mal à le faire placer en détention provisoire.

– Sans doute pas, mais il reste un problème, qui n'est pas totalement négligeable...

– Lequel ?

– Anders Hjulin n'est pas coupable.

– Pourquoi ça ?

– Ce n'est pas lui qui a assassiné Anna.

– Et comment le sais-tu, si je peux me permettre ?

– Pour être honnête, je ne le sais pas. C'est simplement un sentiment que j'ai. Mon « feeling » à moi, si tu veux.

Il vit sur son visage quelque chose qui ressemblait à un sourire. Quant à savoir s'il était ironique ou non, cela outrepassait ses facultés de discernement.

Anders Hjulin resta comme paralysé sur le canapé. Sans qu'il s'en aperçoive, tout d'abord, sa femme vint s'asseoir en face de lui, à la place qu'occupait Lindström un instant auparavant. Le visage d'Annika, son épouse légitime depuis huit ans, revêtait une expression qu'il ne lui connaissait pas encore : un mélange de gravité et de peur. Il sentit la panique s'emparer de lui et la terre se mettre à trembler sous ses pieds. Non seulement la terre, d'ailleurs, mais la maison, tout ce qu'ils avaient péniblement édifié ensemble, ce pour quoi ils avaient lutté, ce qu'ils avaient projeté de faire, leur patient labeur au fil des ans, le bonheur de l'arrivée des jumeaux à la maternité de Lund, les efforts qu'il avait déployés au cours des ans, la satisfaction de trouver un emploi stable et la fierté de décrocher son premier contrat de consultant...

Elle le regarda avec des yeux qu'il ne lui avait jamais vus non plus, car ils étaient totalement dépourvus d'empathie.

– Je veux tout savoir, Anders. Absolument tout. Si jamais je te prends à mentir, c'est fini entre nous. Tu es prévenu.

L'espace d'un instant, il hésita à s'installer près d'elle et passer son bras autour de ses épaules, mais il se ravisa. L'Annika qui était assise en face de lui en ce moment n'avait plus rien de commun avec l'étudiante insouciante qu'il avait rencontrée dix ans auparavant au cours d'une « boum » dans le sous-sol du bâtiment des étudiants du Värmland, pas plus qu'avec l'épouse dévouée demeurée à ses côtés quand il avait connu une longue dépression, quatre ans plus tôt, ni avec la merveilleuse mère de ses deux enfants, faisant vaillamment front, chaque jour, dans cette maison qu'ils aimaient tant. Les yeux dans lesquels il plongeait le regard, en cet instant, appartenaient à quelqu'un d'autre, à une nouvelle Annika, pleine de dureté, à laquelle il avait donné naissance par son comportement.

Aussi calmement que possible, il lui avoua comment il avait rencontré Anna Hagberg et comment – à sa propre et affreuse stupéfaction – il avait senti l'amour s'emparer de lui, avait décidé de ne rien lui dire et – finalement – cédé à cette force qui le tenait sous son emprise. À chaque mot qu'il prononçait, chaque phrase qu'il formulait, il la sentait s'éloigner un peu plus de lui. Quand il eut fini d'évoquer la journée au Sheraton et leur projet d'escapade à Barcelone, il ne resta que le plus difficile : les soupçons de la police à son égard.

– Tu peux penser ce que tu veux de moi, Annika. Estimer que je suis le pire des salauds ou je ne sais quoi. Mais tu ne dois pas mettre ma parole en doute, quoi que la police puisse dire ou tenter de prouver : je n'ai rien à voir avec ce meurtre. Rien, Annika, je te le jure par tout ce que j'ai de plus sacré au monde. Sur la tête de nos enfants, si tu veux.

Elle resta face à lui sans rien dire et sans bouger, avec des larmes qui coulaient le long de ses joues. Il se leva et alla s'asseoir près d'elle mais, au moment où il passait le bras autour de ses épaules, elle bondit sur ses pieds et le frappa au visage.

– Espèce de salaud ! Je t'ai tout donné. Tout ce que j'avais, ma vie, mon amour, tout, tout, tout ! Et puis... tu me trahis lâchement. Je ne veux plus te voir, Anders. Jamais.

Elle lui tourna le dos et se dirigea vers la cuisine, qui ne faisait qu'une seule pièce avec la salle de séjour. Elle prit un téléphone mobile et se tourna vers lui.

– Je veux que tu partes, Anders. Immédiatement.

– Comment ça ?

– Que tu disparaisses.

– Où ça ?

– Je n'en sais rien. Et je m'en fiche. Prends ta voiture, tu as des amis. J'appelle Camilla et il faut que tu sois loin d'ici quand elle arrivera.

En prenant place dans la voiture pour faire marche arrière, il fut pris de vertige et eut l'impression d'être en train de perdre le sens de la réalité, d'une part, et le fruit de l'imagination, de l'autre. Il retrouva aussi un sentiment très déplaisant qui lui était familier depuis ses années d'études à Lund, à l'époque où il était soumis à une intense pression psychologique, en particulier à l'approche des examens, à savoir que son âme quittait son corps. Il ne parvenait plus à penser de manière lucide. Avant de quitter la maison, il était monté embrasser une dernière fois ses enfants, dans leur sommeil, et leur murmurer quelques mots d'amour à l'oreille, pour les assurer que tout s'arrangerait, d'une façon ou une autre. L'amie d'Annika n'avait même pas daigné le regarder, à son arrivée, et, quand il avait pris place au volant, la panique s'était de nouveau emparée de lui. C'était bel et bien réel, dut-il se persuader en s'éloignant de la maison où il vivait depuis cinq ans.

Il avait du mal à ne pas quitter la route des yeux. La neige s'était mise à tomber, ce qui rendait la conduite encore un peu plus difficile. Heureusement, la circulation n'était pas très dense, on aurait dit que les gens restaient chez eux à cause de la neige. Il hésita sur la destination à prendre. Il y avait bien sa mère, à Höllviken, et son frère, à Klagshamn. Tous deux l'accueilleraient sans nul doute mais une foule d'images bizarres du temps jadis s'imposa à son esprit, comme si ce qui venait de se passer avait soulevé le couvercle recouvrant les ténèbres contre lesquelles il avait lutté pendant sa longue dépression. Près de la bretelle d'accès à l'autoroute E6, il se rangea sur le côté de la route et sortit de la voiture. Il regarda le ciel et s'efforça de respirer lentement et calmement, pour tout remettre en place en lui. Cela ne fit hélas qu'aggraver son sentiment de panique. Et il se mit à crier de désespoir, d'une façon qui fendait le cœur.

– Au secours ! Je vous en prie, soyez gentils, venez à mon secours !

Il hurla et pleura tour à tour, mais pas un seul des automobilistes qui passèrent près de lui ne lui prêta attention. Il finit par remonter en voiture et repartir. Il continua aussi à crier et pleurer, sentant la peur de la folie s'emparer de lui. L'hôpital psychiatrique, pensa-t-il soudain, il faut que j'aille demander une consultation. Et il vira brusquement à gauche pour s'engager sur l'autoroute.

Quand il s'aperçut de son erreur, il était trop tard.

13 janvier

Au bureau d'Anna Hagberg sur Clemenstorget, à Lund, Hjalmar trouva deux journaux intimes dans lesquels son histoire d'amour avec Anders Hjulin était brièvement évoquée : « *Mercredi 20 octobre. Vu Anders à l'hôtel Adlon de Malmö. Il m'éveille à la vie ! Je suis heureuse à nouveau. Pourquoi la vie ne peut-elle toujours être ainsi ? Attendre vendredi : une éternité ! Je suis vivante, vivante !* » Parfois, leurs rendez-vous étaient décrits en termes moins forts mais, à en juger par ce qui était dit dans ces pages, c'était l'amour de sa vie et elle semblait prête à mettre fin à sa vie conjugale. Hjalmar ne put trouver trace de conflit financier mais, au contraire, des éloges d'Anders sur le plan professionnel. Il était décrit comme « *intelligent et libéral. Il est facile de travailler avec lui. Trouver un homme comme lui quand on a vécu pendant dix ans avec un avare pathologique, c'est... le paradis. On pourrait former une excellente équipe. Une* dream team*, quoi !* »

Dans l'ordinateur, Hjalmar trouva les détails concernant le contrat Tetra Pak. Mais toujours aucune trace de différend de nature économique. La plupart des documents étaient épicés de termes incompréhensibles pour le profane : « *fertilizing* des compétences », « *mindset* », « *teambuilding* », « *implementation* », « *rightsizing* », et la lecture de ces dossiers lui laissa une impression d'ignorance incurable. Ce fut au point que, en éteignant l'appareil, il se demanda s'il était « axé flux » ou non.

Rien, donc, qui fût susceptible d'étayer sa demande de mise en détention provisoire d'Anders Hjulin. Il ne la rédigea pas moins en début d'après-midi, arguant que celui-ci était « légitimement suspecté de meurtre », et, une demi-heure plus tard, il quittait Porslinsgatan en compagnie de Monica. Une fois chez Hjulin, il constata que l'une des voitures n'était plus là. La belle demeure n'avait plus l'air aussi accueillante et les trois bouleaux avaient un petit air sinistre.

Au moment où ils s'apprêtaient à frapper, Annika Hjulin sortit de la maison, vêtue d'un gros manteau de fourrure de couleur sombre. En voyant les deux policiers, elle les évita ostensiblement pour se diriger vers une Porsche bleu clair garée devant la barrière. Hjalle se lança sur ses talons.

– Je vous prie de nous excuser, nous aimerions parler à votre mari.

Annika Hjulin ouvrit la portière et jeta son sac à main ainsi qu'un autre, en plastique celui-là, contenant des vêtements, dans la voiture avant de se retourner vers Hjalle.

– C'est très facile.

Puis elle alla se poster devant lui, les bras croisés sur la poitrine et la haine inscrite sur le visage.

– Vous n'avez qu'à me suivre.

– Où ça ?

– À la morgue.

– Quoi ?

– Comment ça, « quoi » ? Vous commencez par pousser un homme à la mort avec des accusations absurdes. Vous ne le savez peut-être pas, mais Anders était surnommé « la Puce », à Lund. Pourquoi ? Parce qu'il était tellement gentil et... inoffensif. Il n'aurait même pas été capable de briser la nuque d'un moineau. C'est l'homme le plus douillet que j'aie jamais connu, le plus sensible... Bande de salauds !

Sur ces mots, elle s'effondra. Monica la recueillit dans ses bras et l'aida à s'asseoir sur le siège arrière de la voiture dans laquelle ils étaient arrivés. Annika Hjulin se mit à pleurer de désespoir et il leur fallut une demi-heure avant de pouvoir quitter les lieux. Hjalle parvint, entretemps, à s'informer de ce qui s'était passé : vers minuit, sur la E6, un camion était entré en collision avec la voiture d'Anders Hjulin surgissant à contresens. Le choc était inévitable et le conducteur avait sans doute été tué sur le coup, d'après les constatations des agents arrivés les premiers sur le lieu de l'accident.

Après l'identification du corps, qui fut une nouvelle épreuve pour une Annika Hjulin déjà fort ébranlée, Hjalmar déposa Monica devant le commissariat et reconduisit la veuve chez elle. Quand ils arrivèrent sur l'autoroute, le silence se fit dans la voiture. Annika avait cessé de pleurer. Hjalle trouva que son visage endeuillé avait quelque chose de beau et d'épuré, comme s'il était dépouillé de tout ce qui était inutile et que la « vraie » Annika Hjulin apparaissait maintenant. Il fut pris de l'envie de la serrer contre lui et, de la main droite, se mit à la consoler en lui caressant les cheveux. Elle le regarda, l'air étonné, et posa la tête sur ses genoux. Un moment plus tard, elle dormait comme une enfant.

Quand ils arrivèrent chez elle, deux de ses amies l'attendaient devant la barrière. Elles la prirent dans leurs bras et, sans un mot, l'aidèrent à gagner la maison. Hjalle regarda les trois femmes s'éloigner en pensant aux jumeaux du couple et au tour qu'allait prendre leur vie ; ils n'auraient guère de souvenirs de leur père, mais peut-être cela valait-il mieux ainsi. Ils auraient pu connaître pire encore. Ils auraient pu avoir cinq ans, par exemple, se dit-il. Tout ce qu'ils auront, maintenant, ce sont des paroles, des photos, des souvenirs que d'autres leur rapporteront. Et l'homme qui était assis devant lui la veille ne sera plus pour eux qu'une figure de légende.

Comme si la jeune veuve avait lu dans ses pensées, elle revint vers lui à pas pressés pour lui dire :

– Je désire seulement vous répéter ce que je vous ai déjà dit, je crois. « La Puce » n'a jamais fait de mal à personne dans sa vie. Les soupçons qui ont été émis à son encontre tombent sous leur propre absurdité, aussi bien physiquement que mentalement. Son grand problème dans la vie, c'était sa sensibilité. Et de ne jamais savoir dire non. Que ce soit à du travail, à ses copains ou à… des femmes.

Plus tard dans la journée, Hjalmar déposa le dossier Anna Hagberg sur l'étagère inférieure de son bureau. L'analyse ADN du sperme recueilli sur le cadavre confirmait qu'il s'agissait de celui d'Anders Hjulin, ainsi que les empreintes digitales sur le bristol, le cendrier et autres objets de la chambre 107. D'autres empreintes avaient également été trouvées, mais le rapprochement opéré avec celles consignées dans la base de données de la police n'avait donné aucun résultat. L'accident de la E6 fut classé sous la rubrique « suicide » après l'audition du chauffeur du camion, qui avait déclaré que la voiture avait soudain surgi face à lui « comme si elle le prenait pour cible ». Pour Hjalle, la chose était maintenant claire : Hjulin avait assassiné Anna Hagberg dans un moment d'égarement passager, par peur de voir son existence s'effondrer si leur liaison venait à être découverte. Aucun indice ni témoignage ne plaidait dans un autre sens et son opinion ne pouvait qu'être confortée par les lignes qu'il lut dans son dossier médical et qui dataient de l'époque de sa dépression : « Le patient présente des syndromes *borderline* manifestes. Il a eu plusieurs crises psychotiques, quoique passagères. Il est en proie à une idée récurrente, qu'il décrit lui-même comme une sorte d'obsession, à savoir "le désir d'accomplir des actes extrêmes". Il refuse cependant d'expliquer ce qu'il entend par là de façon concrète, comme s'il avait peur de les expliciter. »

Hjalle regarda par la fenêtre et parcourut des yeux la glace du canal. Une vieille idée lui revint à l'esprit. Comment se faisait-il qu'en Hollande, pays au climat moins rude que la Suède, on organise régulièrement des compétitions de patin à glace sur les cours d'eau, alors que chez eux on n'avait jamais envisagé de le faire, à sa connaissance ? L'instant d'après, il prenait en pensée le virage du canal tel un Ard Schenk suédois et laissait derrière lui, à grands et beaux coups de patins, une meute de poursuivants qui n'avaient pas dépassé Slussplan.

Soudain il vit, sur la glace, un homme poussant une voiture d'enfant. Il sortit ses jumelles et le reconnut. C'était un jeune écrivain qui habitait le pâté de maisons, Hjalle le voyait de temps en temps depuis sa fenêtre et il semblait toujours avoir la tête ailleurs. Ce spectacle le laissa sans voix. Ce poète poursuivait sa promenade sur la glace, au milieu du canal, sans paraître conscient du danger pour l'enfant. Il ne put pourtant éviter de se dire à voix basse :

– Il marche sur la glace. Mon Dieu !

Sans qu'il s'en soit aperçu, Monica avait pénétré dans la pièce, sur ces entrefaites.

– Excuse-moi, Hjalle, mais c'est au sujet d'Anna Hagberg. Je me suis intéressée un peu à son mari. J'ai en effet eu un sentiment bizarre, à Bjärred.

– Vise un peu, Monica ! T'as vu ça ?

Elle n'en crut pas ses yeux.

– Il est complètement fou !

– Non, encore que… en tant qu'écrivain…

– Écrivain ? Comment le sais-tu ?

– Je le sais, c'est tout, je l'ai vu à la télé. Et il se balade souvent dans le quartier.

– Je maintiens que c'est un fou, malgré tout.

– Tu peux me dire la différence, au juste ? demanda Hjalle, pensif, en posant ses jumelles.

Ils eurent tous deux du mal à s'arracher au spectacle de l'homme à la voiture d'enfant, mais elle finit par se tourner vers lui.

– Il s'agit de Göran Hagberg. J'ai eu l'impression que sa réaction était en partie feinte, comme s'il savait très bien ce qui était arrivé. Celle de Hjulin m'a paru beaucoup plus authentique. Je peux me tromper, naturellement…

– Oh, vraiment ? ne put-il s'empêcher de lâcher avec une ironie non déguisée, tant son comportement l'y invitait.

– Eh oui, ça m'est arrivé, deux ou trois fois en l'espace de vingt-sept ans, je crois, répondit-elle avec un sourire, avant de se reprendre très rapidement et d'ajouter : Je pense qu'il était parfaitement au courant des relations de sa femme avec Hjulin et, le plus intéressant du point de vue géographique, c'est qu'il est professeur d'histoire au lycée classique – qui se trouve, comme tu le sais, à quelques centaines de mètres du Sheraton, pas plus. Or il était libre, au moment où le crime a été commis, d'après nos investigations. Il n'avait aucun cours entre dix heures et demie du matin et deux heures de l'après-midi, ce qui lui laissait amplement le temps de se rendre au Sheraton. Supposons qu'il était au courant de son infortune et savait que Hjulin serait là…

– Dans ce cas, c'est à lui qu'il aurait dû briser la nuque, non ?

– À moins de préférer se débarrasser de sa femme.

– Et alors ? Il n'avait qu'à la laisser partir…

– Écoute. Trois choses. J'ai effectué quelques petites recherches sur le compte de Hagberg, Göran. J'ai trouvé un non-lieu, à Lund, au début des années 80. Mauvais traitement sur la personne de sa petite amie de l'époque, en état d'ivresse, alors qu'ils rentraient d'une fête d'étudiants. Et d'une. Il a donné sa démission au lycée il y a deux mois. Et de deux. Enfin, il a obtenu un nouveau poste au lycée Hvitfeldt de Göteborg, qu'il prendra au mois d'août. Il va donc déménager, et les enfants aussi. Et de trois.

Hjalle la dévisagea, impressionné. Elle l'avait ébranlé. Il n'avait aucune objection à formuler – rien d'autre que son intuition, qu'il aurait été malvenu d'invoquer, étant donné les circonstances. Pour l'instant, du moins. Au lieu de cela, il appela le lycée au téléphone et, deux heures plus tard, il quittait l'hôtel de police en compagnie de sa collègue, en route vers le café au rez-de-chaussée de Hansacompagniet.

Göran Hagberg se pencha sur la table. Derrière lui était assis un homme d'un certain âge qui jouait des succès du temps jadis sur un piano blanc, avec assez de délicatesse pour que les clients du restaurant ne risquent pas d'avaler de travers. Des dames en Burberry ayant largement dépassé l'âge mûr et des jeunes gens transportant leur bureau dans leur téléphone portable – bref des gens qui n'étaient pas vraiment à plaindre – les entouraient.

Hjalmar scruta le visage de l'homme assis en face de lui et y lut quelque chose de puissant et décidé qui cadrait mal avec le désespoir qu'il avait affiché dans sa cuisine de Bjärred.

– Je suis resté au lycée jusqu'à onze heures et demie. À moins le quart, j'ai retrouvé Anna dans le hall du Sheraton pour récupérer les clés de la voiture. Elle devait partir pour Oslo le soir même et nous avions décidé que c'était moi qui ramènerais le véhicule à la maison. Elle venait de terminer son intervention et s'apprêtait à déjeuner avec ses collègues. Puis je suis allé faire un tour en ville.

– Où ça ?

– Je ne m'en souviens pas très bien. J'ai dû prendre Södra Förstadsgatan et arriver sur la place Gustav-Adolph où j'ai déjeuné. Je ne crois pas être revenu au lycée avant une heure et demie.

– Vous êtes donc resté en ville une bonne heure ?

– Sûrement. J'aime regarder les vitrines des magasins de vêtements. Mais vous pouvez être rassuré. Je n'ai rien à voir avec tout ça.

– Avez-vous jamais eu des disputes avec votre femme ?

Hagberg se tortilla sur sa chaise et finit par hocher la tête.

– À propos de quoi ?

– Oh, ça remonte loin. Cela fait longtemps que je désire aller habiter à Göteborg. Je ne me plais pas ici, je n'aime pas la mentalité des gens. Je suis natif de Göteborg et quand on est

156

d'« Ascenseur personne* », c'est dans le sang. Malmö, c'est sans doute très bien pour les Scaniens invétérés – mais pas pour moi. Ma femme est née ici, elle. Alors, comme nous nous sommes connus sur place et que j'y ai trouvé du travail, eh bien... nous sommes restés.

– Et vous vous apprêtez à déménager ?

– Dès que possible !

– Aviez-vous prévu cela avant ce qui vient de se passer ?

– En un certain sens, oui. J'ai obtenu un poste au lycée Hvitfeldt à partir du mois d'août, il y a quelques semaines.

– Et les enfants ?

– Ils vont suivre le mouvement, naturellement. Qu'allez-vous croire ?

– Il n'y aurait pas une autre femme dans votre vie ? Par exemple à Göteborg ?

Hagberg secoua la tête en regardant Lindström, non sans une certaine contrariété.

– Vous insinuez que j'ai tué la mère de mes enfants pour pouvoir revenir dans ma ville natale, c'est ça ?

– Les gens assassinent pour beaucoup moins que ça, je peux vous l'assurer.

Hagberg regarda sa montre. Il était clair qu'il était impatient de s'en aller.

– Nous devons vous demander de nous accompagner à l'institut médico-légal de Lund pour un prélèvement à vif.

– Pour quel motif ? demanda Hagberg, soudain nettement plus agressif.

– Cette inculpation pour coups et blessures, à Lund, il y a quelques années, de quoi s'agissait-il ?

C'était Monica Gren qui se mêlait brusquement de la conversation. Hjalle la regarda avec un air de surprise contenu. Hagberg rougit légèrement, comme s'il comprenait soudain que certains indices pouvaient plaider contre lui.

– Vous avez déterré cette vieille merde ? Il n'y avait pas de quoi fouetter un chat, vous savez. J'avais pour compagne une

---

* Jeu de mots fort subtil, typique de la mentalité des gens de Göteborg, qui se base sur... la traduction (littérale) en anglais du nom du quartier de Hissingen (= *Elevator nobody*) !

femme plus névrotique que la moyenne. Elle avait fumé du shit dans les toilettes de la maison des étudiants de Lund et, quand elle est sortie et que nous sommes rentrés chez nous, elle a piqué une crise et s'en est prise à moi avec un chausse-pied. Elle était complètement paf et je lui ai mis une baffe pour la réveiller. Malheureusement, une de ses amies a vu ça et... vous n'allez quand même pas me dire... et puis qu'est-ce que c'est qu'un prélèvement à vif ? Vous allez me découper en morceaux ?

– Non, seulement vos cheveux, vos ongles et un peu de peau. Des broutilles.

– Faites ce que vous voulez, mais fichez-moi la paix, après ça. D'accord ?

– Quand ce sera terminé, ce sera à nous de décider de la suite des événements, monsieur Hagberg, conclut Hjalle.

14 janvier

L'hiver tenait la ville dans sa poigne de fer. Les arbres couverts de givre faisaient penser à des cartes postales représentant des tableaux de Carl Larsson, les patineurs de Pildammsparken éveillaient chez les férus d'histoire de l'art le souvenir de Breughel et de la Hollande médiévale, et ceux qui n'étaient capables d'aucune association artistique pouvaient toujours jouir de la beauté du spectacle et de la qualité de la lumière ; la neige avait un effet de sourdine sur les bruits ambiants, les remplaçant par un silence inhabituel qui incita Hjalmar Lindström à se demander si tout était vraiment normal ou si plus de gens que d'habitude étaient partis en vacances. Pour sa part, il profitait pleinement de cette beauté, sachant parfaitement qu'elle était passagère, rien d'autre qu'un prêt qui lui était consenti – d'un jour à l'autre cette splendide blancheur se changerait en bouillasse brunâtre à la mode de Scanie, dont la simple existence serait un motif suffisant pour inciter la population à rester chez elle.

Le magnifique souvenir de la promenade à skis de ce matin-là à Sibbarp encore présent à l'esprit, il prit place à sa table de travail, prêt à affronter de nouvelles tâches. Devant lui était posé un rapport de l'institut médico-légal de Lund. Rien de ce que la Scientifique avait trouvé dans la chambre 107 ne correspondait aux échantillons de peau et de cheveux prélevés sur Göran Hagberg. Quant à la perquisition à son domicile, elle n'avait rien donné non plus.

Un instant plus tard, Monica Gren fit son entrée.

– Quelles conséquences en tirer ? demanda-t-elle.

– Cela signifie que, si c'est lui le coupable, il a mijoté son coup avec beaucoup de soin et s'est déguisé, puisqu'aucun des membres du personnel de l'hôtel ne le reconnaît. Il a peut-être mis des gants et une casquette. Ce n'est pas impossible, même si ce n'est pas très vraisemblable. On dirait donc bien qu'on est dans une impasse, mais je suggère que tu continues à explorer cette piste. On ne referme pas le dossier. Va recueillir le témoignage de ses collègues, de ses amis et de sa famille. Et garde-le à l'œil. Au fait, tu veux du café ?

– Volontiers.

Hjalle alla lui en chercher. À son retour, il ferma la porte derrière lui. Tout cela lui rappelait de plus en plus ses rapports avec Jönsson, son mentor, pendant des années : le désir de rester en contact, de poser des questions et puis l'impulsion soudaine – et le courage – d'émettre une idée personnelle.

Monica sortit de son sac deux morceaux d'un gâteau de couleur noire qu'elle avait confectionné elle-même.

– Un fondant au chocolat ! Formidable.

Il apprécia pleinement la friandise ainsi que le café, mais aussi le silence. En effet, il était possible de se taire, en présence de « la bouddhiste », comme il avait commencé à la surnommer intérieurement. Et, chaque jour qui passait, il la trouvait un peu plus attirante, ce qui ne gâtait rien.

Les collègues de Göran Hagberg n'avaient rien de spécial à dire sur lui, pas plus que les amis de la famille. Monica eut tôt fait de s'en assurer, après avoir appelé et rencontré bon nombre des intimes du couple. La tension causée au sein de la famille par le désir du mari de retourner vivre à Göteborg n'était un secret pour personne et avait lesté un peu plus le dossier, le rétrogradant encore parmi les priorités de Hjalmar, qui pouvait se consacrer à nouveau au flot jamais tari des affaires de drogue. De son côté, Monica demanda son transfert au service des Violences interfamiliales, ce qui ne le surprit nullement.

11 janvier

Une chatte, entendit-il tinter dans ses oreilles, sans cesser de pédaler ni de regarder par la fenêtre. Au nord, la centrale de Barsebäck, à l'ouest Copenhague et le Sund. En dessous de lui, le damier familier des rues. De temps en temps, son regard s'attardait sur un tronçon ou sur une maison qu'il avait l'impression de ne pas reconnaître mais, au bout d'un moment, son passé de gardien de parking de la ville l'aidait à remettre en place les morceaux du puzzle. Dans le quartier de Lugnet, une femme arrosait ses fleurs sur un balcon vitré et, le long de Föreningsgatan, en direction de Värnhem, le flot de la circulation s'écoulait dans les deux sens. Il accéléra l'allure sans que cela change quoi que ce soit à ce qu'il entendait en lui. Il lui fallait une chatte. Il savait déjà que c'était trop tard. Quoi qu'il fasse, il serait obligé d'obéir à cette voix en lui. Peu importait avec quelle ardeur il appuyait sur les pédales ou le nombre de disques de fonte qu'il placerait sur les barres. L'art de sublimer le désir avait depuis longtemps laissé la place au besoin de céder à l'appel impératif du sexe. Celle qui avait déclenché cette pulsion était en train de pédaler sur un vélo d'intérieur, six rangées plus loin. Un demi-centimètre de sa culotte blanche dépassait de son pantalon d'entraînement moulant et sa queue de cheval se balançait en cadence. Il en vint à penser à une jument. Une jument à deux pattes. Pour tenter de se libérer de cette obsession, il descendit de vélo et alla boire un peu de citronnade. Ils n'étaient pas nombreux, dans cette salle de gym, pas plus de sept ou huit. C'est curieux, pensait-il souvent. C'est le meilleur établissement de ce genre en ville et il est très peu connu. À ce moment, elle descendit à son tour de vélo et passa au poste suivant. Il tenta de ne pas la fixer du regard, mais le mot « chatte » retentit de nouveau à ses oreilles. Une chatte à deux pattes. Rien d'autre à faire que d'augmenter le nombre des disques sur la barre : cent quatre-vingts kilos. Le corps est l'autel de ma religion, s'entendit-il dire. Et la bite est mon dieu ? ajouta-t-il en riant intérieurement. Ses pensées l'entraînaient parfois dans des directions surprenantes. Le corps est mon autel et la bite mon dieu. As-tu jamais vu un moustique niquer ? Pourquoi ce genre de pensées stupides me vient-il à l'esprit ? s'inquiéta-t-il. Il détestait que le sexe déchire la surface paisible de ses réflexions en hissant ainsi le périscope. La chatte à queue de cheval avait disparu. N'avait-elle pas quelque chose de Yasmina ? La pute. La pauvre petite Yasmina… Ses deux derniers efforts à la barre lui arrachèrent des cris. Son cœur battait à tout rompre, ses muscles étaient bandés à éclater et la sueur coulait le long de son corps en beaux petits ruisseaux. Après un dernier développé, il resta un instant allongé sur la planche, ferma les yeux, tenta de chasser le mot de son esprit et de penser à autre chose. Son projet de voyage. La fête de la boîte. Puis il rouvrit les yeux et la vit à nouveau. Elle était là, près du mur opposé, en train de procéder à des étirements. Ses belles petites fesses tendaient son collant noir. Il ne l'avait encore jamais vue, alors que la plupart des autres, dans la salle, étaient des habituées avec lesquelles il échangeait quelques mots. Elle, non. C'était sans doute une pensionnaire de l'hôtel. Belle occasion de s'approcher d'elle et d'entamer la conversation, tandis qu'elle continuait à s'étirer. Il passa au poste suivant en cherchant dans sa tête une phrase susceptible de lui fournir l'ouverture désirée. Vous logez dans cet hôtel ? Cela fait longtemps que vous venez ici ? La vue est belle, hein ? S'il y avait quelque chose qu'il enviait chez certains hommes, c'était la faculté de créer les conditions nécessaires pour engager la conversation avec les femmes. Maintenant, il voyait la chatte à queue de cheval dans la glace, devant le cyclorameur. Il tira sur les avirons en fermant les yeux et accéléra l'allure. Cela faisait longtemps qu'il ne s'était senti aussi fort. Son corps était une machine de muscles faisant exactement ce qu'il lui ordonnait. Il continua à ramer, les yeux fermés. Quand il les rouvrit, il ne la vit plus dans la glace. Au lieu de passer au poste suivant, il alla boire un verre d'eau au comptoir en la cherchant du regard. Plus aucune trace d'elle. Sans doute en avait-elle terminé avec sa séance. Il revint sur ses pas avec un sentiment de déception couplé à un certain soulagement et entreprit les mouvements nécessaires sur l'appareil suivant mais, avant même la moitié du temps prévu pour l'exercice, il se leva et passa dans la salle de douches. Comme le vestiaire était vide, il hésita un instant à se faire une petite branlette rapide pour se soulager et il avait déjà commencé à tirer sur son sexe lorsqu'il entendit la porte s'ouvrir, l'arrêtant dans son élan. Il prit une douche rapide, sans passer par le sauna, plia bagage et passa dans le foyer près de l'ascenseur, d'où l'on avait une magnifique vue sur la ville. Il était une heure moins le quart. Elle ne devrait pas tarder à sortir, pensa-t-il, resplendissante et douchée de frais. Il ne savait toujours pas comment l'aborder, ni même s'il allait lui dire quoi que ce soit. Il sentait seulement que tout convergeait vers son sexe. Chez lui, il avait ses films porno, son fauteuil pivotant et sa télécommande. Il pouvait ainsi tout contrôler de bout en bout, jusqu'à l'éjaculation, au moment précis où le visage qu'il désirait s'affichait sur l'écran en plan fixe. Une chatte, pensa-t-il. Un petit trou où fourrer son gros dard. Il regarda de nouveau sa montre. Que lui dire ? Le problème, c'était qu'il n'avait rien à dire, rien du tout, et n'avait qu'une seule chose en tête. Il ne tenait plus en place et se leva. Cela paraîtrait bizarre, qu'il reste là à ne rien faire. Il monta donc dans l'ascenseur de verre et se laissa descendre vers la ville, avec une sensation curieuse, mais pas désagréable, dans le ventre. Soudain, l'appareil s'immobilisa et une femme dans la quarantaine monta à bord. Jupe noire, corsage vert, cheveux blonds coupés court, lunettes et dossier sous le bras. Et des roses ! Deux roses à la main. Sa poitrine pointait fièrement vers lui et elle le gratifia d'un sourire en appuyant sur le bouton du dixième étage. Elle me sourit, cette pute, ma parole, se dit-il. Elle avait même les joues rouges, comme si elle venait de se faire tringler. Au même moment, ses narines perçurent son parfum, cette odeur qu'il connaissait si bien. Il le huma, se redressa, la regarda et la jaugea du regard, quoique par-derrière. Baisable ou pas ? L'ascenseur s'arrêta au dixième avec un tintement, les portes s'ouvrirent et elle sortit mais, avant que les portes aient eu le temps de se refermer entièrement, il avait glissé le pied là où il fallait pour qu'elles s'ouvrent à nouveau. La femme s'éloigna vers le fond du couloir et il entendit une voix demander, au fond de lui : qu'est-ce que je fais ? Ça suffit, bon Dieu, arrête, reste là, descends et rentre chez toi. Pense à Yasmina. Il prit quand même la précaution de regarder dans quelle chambre elle entrait, en s'assurant que nul ne l'observait, lui. L'étage était désert et le couloir silencieux, quand il approcha de la porte. Une chatte, pensa-t-il à nouveau. Mais laquelle ? Celle à la queue de cheval ou celle au dossier ?

Soudain, il se reprit : qu'était-il en train de faire ? Il ne faut pas. C'est interdit. Va-t'en d'ici. Son corps était bandé comme un arc et il constata qu'il pleurait. C'est ce dont il se souvint le mieux, par la suite : qu'il pleurait, en frappant à la porte de cette femme. Comme s'il regrettait déjà ce qui n'était pas encore arrivé. C'était la seule image qui lui restait : ses propres larmes et la rapidité avec laquelle l'expression sur le visage de la femme avait changé, passant en un instant de l'accueil bienveillant à la peur.

Le visage de la chatte au dossier.

Rien à l'horizon. L'hôtel est une coquille vide, en quelque sorte. Son sac de sport à la main. Personne dans le couloir. Il referme la porte et, quelques secondes après, il est dans l'ascenseur. Seul, comme une vingtaine de minutes plus tôt, comme si le monde s'était arrêté de tourner et si tout ce qui était vivant alors l'était encore. Il traverse à pas lents le vaste foyer vitré où les clients arrivant pour la nuit se mêlent à ceux simplement venus déjeuner, tels des poissons bigarrés dans un immense aquarium. Quelques minutes plus tard il est dans son appartement de Lugnet. Rien n'a changé, tout est propre et impeccable. Seule une tasse à café sale perturbe le tableau, dans la cuisine. Par ailleurs, tout est comme il a toujours voulu que ce soit. En ordre, clair et net. Il met sa tenue de sport à sécher et jette ses chaussettes dans la machine à laver de la salle de bains, avant de passer dans la cuisine. Il prend un verre de jus d'orange dans le réfrigérateur puis fait un petit tour dans sa chambre. De son balcon, il voit la fenêtre de la chambre 107 du Sheraton. Comment s'appelait-elle ? Il n'en a pas la moindre idée. Il sort la petite clé plate et jongle avec elle à plusieurs reprises, voit le soleil miroiter sur la façade de grès brun clair de l'hôtel et lancer des éclairs dorés sur les trois ascenseurs extérieurs qui montent et descendent là-bas. Puis il entend le petit bruit que fait la nuque de la femme en se brisant. La nuque de la pute au dossier. Et il voit son regard s'éteindre. Il respire profondément et sent la panique s'emparer lentement de lui. Il fait le tour des trois pièces de son appartement, déplace des livres et des vidéos. Soudain, l'envie le prend de faire le ménage. Il commence par passer l'aspirateur partout, puis le chiffon sur le sol, les éléments de cuisine et les étagères. À la fin, il ne reste plus un grain de poussière. Et pourtant, elle est toujours morte, la pute au dossier. Elle s'était montrée très douce et obéissante et avait fait tout ce qu'il lui avait ordonné. Et cependant... La panique ne fait que croître en lui. Il ouvre les fenêtres, car il a du mal à respirer. Il faut que je trouve de l'aide, je ne tiendrai pas le coup. Il faut que j'appelle quelqu'un, que j'avoue. Son regard se porte à nouveau vers la chambre 107. Il faut que je parle, que j'avoue. C'est moi, mais je ne l'ai pas fait exprès. C'est à cause du parfum. Je suis malade, il faut qu'on me soigne. Je suis... je ne sais pas. Il passe dans la salle de bains, prend trois comprimés d'antidépresseur et s'assied sur le fauteuil pivotant, devant le poste de télévision. Sans le vouloir, il appuie sur la télécommande et le magnétoscope se met en marche. Il ne voit rien et entend seulement les bruits de gorge de *L'École des suceuses 3*, le film qu'il a regardé ce matin. Le film de cette nuit. Et il s'endort sur son siège.

Il chevauche dans le désert. Parvenu à l'oasis, il trouve trois femmes assises derrière de grands paniers à linge. En un instant, ils sont en pleine partie carrée. Au loin, il entend un bruit de sabots. Il n'a pas le temps d'éjaculer et brise la nuque de l'une de ces jolies femmes, avant de s'enfuir dans le désert. Le sable tourbillonne et, en se retournant, il voit plusieurs énormes tracteurs lancés à sa poursuite. Sur leur toit, des gyrophares brillent au milieu de la tempête de sable. Il éperonne son cheval. À l'horizon, il distingue trois rochers, deux gros et un petit. De là où il est, il a l'impression d'une famille : le père, la mère et l'enfant, taillés dans le roc. Il accélère l'allure et creuse la distance avec ses poursuivants. S'il parvient jusqu'aux rochers, il sera sauvé. C'est sûrement un rêve, a-t-il le temps de penser. L'instant d'après, il voit l'écran noir du poste et sent un courant d'air qui vient du balcon. Dehors, il fait nuit. L'horloge digitale de l'étagère indique 19 h 27. Il lance un regard en direction de l'hôtel. Est-ce vrai ? Est-ce moi ? Ai-je réellement fait ça ? Pardonne-moi, mon Dieu. Il allume la télévision et écoute les informations en retenant son souffle. Mais non, rien. Ni meurtre ni quoi que ce soit de bizarre. Rien que la merde habituelle au Moyen-Orient. Soudain, il s'interroge à nouveau. Il sort sur le balcon et regarde une fois de plus la chambre 107. C'est éteint. Il ne s'est donc rien passé. Ou alors elle gît encore là, attendant qu'on la découvre. Il faut que j'avoue. Il sent les larmes se former dans ses yeux, telle une vague prête à déferler. Il prend son portable sur la table de verre et s'assied dans le fauteuil pivotant. La police ? Quel numéro déjà, bon sang ? Il se lève et va chercher l'annuaire. Au moment précis où il s'apprête à composer le numéro, le téléphone sonne :

– Allô…

– Bonjour, Håkan, c'est moi. Comment ça va ?

Pourquoi n'est-il jamais parvenu à aimer la voix de sa mère. Cette intonation doucereuse, qui semble insinuer qu'il aurait des problèmes, lui. Comment ça va ?

– Très bien.

– Tu te portes mieux ?

– Mieux que quand ?

– Que la semaine dernière, le jour où nous devions déjeuner ensemble. Tu n'es pas venu et tu m'as dit que…

– Oui, bon.

– Je t'appelais surtout pour savoir comment ça va.

– Très bien, je t'ai dit. D'accord ?

Quand avaient commencé ces silences prolongés ? Peu après les soixante ans de sa mère. Avant, elle les meublait par un sur-croît de bavardages. Désormais, elle les laisse s'établir tranquille-ment. Jusqu'à ce qu'il prenne la parole, lui.

– Et toi ?

– Très bien aussi, j'ai beaucoup de rendez-vous et j'ai envie de réduire un peu mon activité. Au fait, je vais m'absenter pendant deux semaines, au mois de mars, pour un congrès à Seattle. Je ne crois pas te l'avoir dit.

– À Seattle ?

– Oui. C'est formidable, non ?

– Bien sûr.

– Qu'est-ce que tu dirais de déjeuner ensemble demain ? Quelque part près de chez toi. Le Chinois de Rådmansgatan. La Barca. Ou le Sheraton, si tu préfères ?

– Non, répondit-il sèchement.

– Tu ne veux pas me voir ou c'est les endroits que je propose qui ne te plaisent pas ?

– Les endroits, maman.

– Qu'est-ce que tu suggères, alors ?

– Est-ce que je peux te rappeler ?

– Me rappeler ? On ne peut pas décider tout de suite ?

– Je ne veux pas. Je ne me sens pas bien.

– Qu'est-ce que tu as ?

– Je ne sais pas.

– Tu ne devrais pas faire autant de musculation. Ce n'est pas bon pour toi, Håkan. Calme-toi, tu m'entends ?

– Oui.

– Quand m'appelleras-tu ?

– Plus tard.

– Bon. Au revoir, alors.

– Au revoir.

Il a encore le combiné à la main lorsque cela sonne à nouveau.

– J'oubliais l'essentiel. J'ai parlé à Havemark. Tu sais : Bengt, il te suivait il y a quelques années. Il a laissé entendre qu'il pourrait te trouver un rendez-vous.

– Il a laissé entendre ça ? Et combien ça coûterait ?

– Je peux t'aider. Tu ne veux pas me laisser faire ?

– Il faut que je réfléchisse.

– Oui, mais pas trop longtemps. Tu n'es pas le seul à ne pas te porter très bien, dans le monde. Il y en a beaucoup d'autres qui n'attendent que ça.

– Quoi ?

– Ne réfléchis pas trop longtemps, je te dis.

– Non. D'accord. Au revoir.

– Prends soin de toi, Håkan.

12 janvier

Il se réveilla en sursaut à sept heures moins le quart, après un sommeil dépourvu de rêves, et même bon, vu ce qui s'était passé. Mais cela recommençait. Le visage. Le bruit de la nuque qui se brisait. Ses propres larmes. Il s'attarda au lit, car son corps pesait du plomb et ses pensées partaient dans toutes les directions. Avouer ? Reprendre la thérapie ? Se mettre en congé de maladie ? Se pendre ? Laisser tout cela refluer dans l'oubli ? Aller au travail, ce soir, comme d'habitude ? Il demeura immobile, comme s'il se figurait que l'immobilité le laverait de sa culpabilité. Qui était-elle ? Que faisait-elle là, bon sang ? Pourquoi était-elle tellement mouillée entre les jambes, la charogne ? Pourquoi, pourquoi, pourquoi ai-je détruit la vie d'une personne, voire de plusieurs – si elle était mère de famille ? Pourtant, il éprouvait également un vague sentiment de libération. C'était fait. Une fois de plus. Il avait franchi le pas. Osé prendre une de ces putes par la peau du cou et la punir.

Un moment plus tard il s'était rendormi. Il se réveilla alors qu'il était plus de onze heures. Quand faisait-on le ménage dans les chambres, au Sheraton ? Il sortit sur le balcon et mit la radio. Rien d'anormal dans la chambre 107, on dirait. Mais il prit ses jumelles et vit alors qu'il se passait quelque chose. Des gens se déplaçaient dans la chambre. Quelques minutes plus tard, il en eut confirmation à la radio : « ... c'est donc ce matin qu'une femme dans la quarantaine a été retrouvée assassinée dans sa chambre de l'hôtel Sheraton, en plein centre de Malmö. Le coupable n'a pas encore été identifié et une enquête technique est en cours. La police de Malmö... »

Il décrocha le téléphone et composa un numéro.

– Société La loi et l'ordre, bonjour. Christine à l'appareil.

– Allô, c'est Håkan.

– Salut.

– Je voulais te dire que je ne vais pas pouvoir venir, ce soir. Je ne me sens pas bien. J'ai mal à la gorge et de la fièvre.

– C'est dommage. On a des soirées assez fréquentées, aujourd'hui. Et cinq personnes en congé de maladie. Comment faire marcher une entreprise, dans ces conditions, bon sang ?

– Je suis désolé…

– Désolé ? Tu ferais mieux de te soigner. Quand est-ce que tu penses pouvoir revenir ?

– Aucune idée. La semaine prochaine, peut-être.

– Enfin bon, on n'y peut rien. Remets-toi, Håkan. Et n'oublie pas notre petite fête, hein ?

– Quelle fête ?

– Celle de la boîte.

– Ah oui, t'inquiète.

Il passa dans la cuisine, prépara son petit déjeuner et prit place à la table de la cuisine. Soudain il entendit sa propre voix qui l'appelait Håkan-l'assassin. C'est moi Håkan-l'assassin de Lugnet. Vous ne me reconnaissez pas ? HLA. Un type parfaitement respectable, qui a le droit de buter les petites putes. J'ai un boulot. Un appartement en accession à la propriété. Une voiture. Un passé irréprochable. Enfin… presque. Y a simplement eu cette fois où des petites connes m'ont persécuté, dans une Haute École Populaire. C'est tout ce qu'on peut me reprocher : avoir été mis à la porte à cause de quelques putes qui se prétendent cultivées.

Il secoua la tête, se versa une tasse de café et alla se regarder dans la glace de l'entrée. Personne ne saura jamais que c'est toi. Si tu n'appelles pas les flics toi-même. Mais il faut que tu le fasses, maintenant.

Troisième partie

3 février

La ville s'étendait, noire de boue neigeuse, devant les fenêtres de Hjalmar Lindström. Il était huit heures et demie du matin et il venait de s'installer devant son ordinateur, une tasse de café à la main, lorsque le téléphone sonna.

– Lindström ?

La voix était sèche. Il la reconnaissait mais ne parvenait pas à l'identifier.

– Oui.

– Ici Carlberg, de l'hôpital. Je voudrais vous voir aussi rapidement que possible.

Le vieux légiste n'était pas connu pour être prodigue de ses paroles, ni pour faire du charme. En revanche, il passait pour très compétent professionnellement et la curiosité de Hjalmar était piquée.

– De quoi s'agit-il ?

– On verra ça ici, Lindström.

– J'arrive dans une demi-heure, répondit-il.

Vingt minutes plus tard, pas plus, il était à la porte du service et se retrouvait presque immédiatement devant le corps d'Anna Hagberg, avec le docteur Carlberg à ses côtés.

– Je n'ai rien dit quand le corps est arrivé ici, même si j'avais déjà des doutes. Maintenant, c'est certain, Lindström.

– Quoi ?

– Tout indique que c'est la même personne qui a tué Yasmina Saïd et Anna Hagberg.

Hjalle sursauta. L'idée lui avait certes traversé l'esprit à plusieurs reprises, mais plus parce qu'il avait dû enquêter sur deux meurtres de femmes en si peu de temps qu'à cause d'un réel sentiment de similitude.

– Pourquoi ?

Les lunettes de Carlberg avaient glissé sur le bout de son nez et la présence du corps d'Anna Hagberg donnait plus de poids à ses propos, déjà sombres en eux-mêmes.

– Si vous voulez bien observer sa nuque, dit-il en désignant l'endroit. Elle a été brisée à peu de chose près d'une façon qui rappelle celle de Yasmina Saïd et témoigne d'une force physique non négligeable de la part de celui qui a fait cela. Nous sommes en présence d'un véritable athlète.

La conclusion laissa Hjalle passablement de marbre.

– Premier point. Le second est une coïncidence assez étrange, qui peut paraître sans grand intérêt, mais qui m'a néanmoins frappé : les deux femmes portaient le même parfum. Il s'appelle Eterica et il est assez rare. Disons qu'il est utilisé par une femme sur cent, environ.

Hjalmar n'était toujours pas très impressionné. Ce genre de chose arrive.

– Mais c'est le troisième point qui est décisif, ajouta Carlberg. J'ai trouvé sur le corps d'Anna Hagberg des poils que votre service scientifique n'a pas remarqués. Ils sont identiques à ceux qu'on a relevés sur Yasmina et ne peuvent appartenir à Dragan Lobocevic ni à aucun autre des suspects. Nous avons donc la preuve que c'est la même personne qui est impliquée dans les deux cas.

Carlberg alla replacer la civière roulante dans la chambre froide. À son retour, il ôta ses gants et ses lunettes.

– C'est tout en ce qui me concerne. Il m'a semblé qu'il pourrait être utile que je vous communique les conclusions auxquelles je suis parvenu.

C'est peu dire, pensa Hjalle, qui resta comme paralysé devant le médecin, avec un sentiment de soulagement et de remords à la fois : soulagement de savoir que Hamid et Abou n'avaient pas été condamnés à tort, mais aussi remords d'avoir poussé Anders Hjulin au suicide par des soupçons formulés de façon maladroite, lorsqu'ils l'avaient interrogé.

Carlberg nota son trouble et posa la main sur son épaule.

– Comment ça va, inspecteur ?

– Bien, répondit Hjalle avec une parfaite hypocrisie. Très bien. Il n'existe aucune possibilité d'erreur sur ces poils, dans l'un ou l'autre des cas ? s'enquit-il timidement.

– Pas la moindre. Vous pouvez vous fier à moi à cent pour cent. Appelez-moi si vous avez d'autres questions, ajouta-t-il en éteignant la lumière derrière eux et en refermant la porte de la pièce la plus bizarre et la plus sinistre dans laquelle Hjalmar Lindström ait jamais pénétré.

Le commissaire Kjell Jönsson et Monica Gren furent tout aussi surpris, lorsqu'il leur rapporta les conclusions du docteur Carlberg. C'est le commissaire qui prit le premier la parole, après un bref silence :

– C'est incroyable. Bon, je t'affecte Monica et quatre ou cinq autres. Si tu as besoin de plus de monde que ça, tu n'as qu'à me le dire. Je vais faire passer au peigne fin la liste de tous les délinquants sexuels du sud de la Suède, condamnés ou simplement mis en examen. Quant à savoir où reprendre l'enquête, c'est à vous d'en décider. Je suggère seulement de garder profil bas devant la presse, hein ?

Hjalle saisit l'allusion et se contenta de hocher la tête. À l'hôtel de police, il était sans cesse soupçonné de laisser filtrer des informations. En particulier auprès de Peo, son meilleur ami. Le commissaire quitta la pièce.

– Ça alors ! dit Monica en tapant des mains. On n'a plus qu'à se mettre au boulot, si je comprends bien, ajouta-t-elle en regardant Hjalle.

– On n'a qu'à, comme tu dis, répondit Hjalle d'un ton sinistre. Je pense à Hjulin, moi, et ma foutue langue.

– J'ai pensé à lui, moi aussi, mais on n'est sûr de rien, Hjalle. Rappelle-toi. Il neigeait, il était sous le choc et il a pu commettre une erreur de direction. N'oublie pas ça, répéta-t-elle en le regardant avec empathie. Bon, par où commence-t-on ?

Il l'observa avec un sourire amusé qui le prit lui-même totalement par surprise. Sa fièvre juvénile et son enthousiasme lui redonnaient de l'énergie.

– Par où ? Deux endroits : le Sheraton et Slagthuset. Il faut les fouiller de fond en comble. La liste des participants à la journée de formation du Sheraton, tous les employés de Slagthuset, pour savoir s'ils auraient vu ou entendu quoi que ce soit. Procéder à de nouvelles auditions. Jönsson va donner ordre de dépouiller le fichier des détraqués sexuels. Il faudrait peut-être suivre la piste de ce parfum, aussi, savoir où il est en vente, qui l'achète et ainsi de suite. Je suggère qu'on commence par le Sheraton, conclut-il.

Un instant plus tard, ils étaient en route, pleins d'ardeur et tous deux satisfaits de travailler de nouveau ensemble, mais aussi en proie au sentiment peu enthousiasmant de devoir chercher une épingle dans un tas de foin.

Au bout de deux heures passées au Sheraton à entendre directeur, portiers, serveurs et personnel d'entretien, et à fouiller tous les couloirs et recoins de l'hôtel, Monica s'avisa soudain qu'ils avaient oublié quelque chose.

– La salle de gym, Hjalle !

Il dut admettre cette omission, avec un sourire gêné, et, peu après, ils étaient à l'étage supérieur du bâtiment. De là, une vue magnifique sur la moitié de la Scanie s'ouvrait devant leurs yeux. Autour d'eux, des gens en sueur de tous âges et de toutes tailles s'escrimaient sur des appareils destinés à les maintenir en forme. Dans une pièce se déroulait une séance de *spinning* qui, à en juger par le rythme sans cesse croissant des basses, était en plein crescendo. Derrière un comptoir sur lequel étaient posés une coupe d'oranges et des boissons de diverses sortes se tenait une femme qui semblait en charge de l'endroit.

– Combien de gens sont inscrits ici ? lui demanda-t-il.

– Cent quatre-vingts, environ.

– Pouvez-vous nous en fournir la liste ?

– Malheureusement non. Nous avons eu une panne informatique à Noël dernier et le fichier a été effacé. Mais les noms sont là, dit-elle, en montrant une petite boîte contenant un certain nombre de fiches de couleur blanche. Vous n'avez qu'à les recopier, ajouta-t-elle avec un sourire.

Pour ce faire, ils descendirent le fichier à la réception. Une fois dans la voiture, sur le chemin du retour, Monica nota que Hjalle se dirigeait dans une tout autre direction que celle à laquelle elle s'attendait.

– Où va-t-on ?

– Je voudrais seulement ôter un dernier doute de mon esprit, dit-il.

Dix minutes plus tard, il s'engagea dans Sörbäcksgatan.

En descendant, il regarda sa montre et fit signe à Monica d'approcher. Ils empruntèrent la passerelle enjambant Hyllievångsvägen pour gagner le collège de Kroksbäck.

– Pourquoi ? demanda Monica avec un sourire.

– T'inquiète, répondit-il en regardant à nouveau sa montre.

Ils allèrent s'asseoir sur un banc et il profita du silence qui régnait autour d'eux pour expliquer à Monica :

– Kroksbäck, c'est un mini-Rosengård édifié en toute hâte à titre de compensation parce qu'il était impossible d'agrandir le quartier à cause du trafic aérien. L'idée était que la ville s'étende vers l'est, ce qui s'est en effet produit par la suite mais, comme le Conseil général s'opposait à la construction de logements aussi près de l'aérodrome de Bulltofta, on a construit Kroksbäck en un temps record et en fonction des critères de l'époque : par rapport aux espaces verts et aux passerelles, en particulier. De l'autre côté du parc, dit-il en se levant, tu vois Holma, quartier assez semblable bâti un peu plus tard mais conçu selon des principes différents. Les maisons sont implantées dans le parc lui-même et en retrait de la circulation, poursuivit-il avec conviction, pris d'un soudain désir d'expliquer sa ville à Monica.

« ... et là-bas, derrière Kroksbäck, se trouve Hyllie, qui touche Limhamn. De ce côté-ci de Bellevuevägen, les gens se sont mis à indiquer de fausses adresses, plus proches de la mer, pour ne pas que leurs enfants soient scolarisés ici, dit-il en désignant les bâtiments qui se trouvaient devant eux.

« ... en milieu multiculturel, comme on dit.

Monica n'avait pas l'air particulièrement intéressée par ce mini-cours de sociologie locale et, aussitôt après ces mots, la cloche de l'établissement retentit. En l'espace de quelques minutes, la cour fut envahie par des centaines d'enfants et le silence se changea en cacophonie assourdissante. Certains élèves restèrent sur place, tandis que d'autres s'en allaient. Hjalle se mit à scruter leurs rangs du regard.

– C'est elle.

– Qui ça ?

– Alisa, la petite sœur de Yasmina.

Monica la dévora des yeux, tandis qu'elle approchait d'eux. Une fois en dehors de la cour, elle sortit un foulard de son cartable et le noua autour de sa tête. Hjalle se porta à sa rencontre.

– Alisa !

Elle les regarda et les salua, gênée.

– Tu nous reconnais ?

– Oui, répondit-elle à contrecœur.

– N'aie pas peur, Alisa, nous ne venons pas t'embêter. Je voulais simplement te poser quelques petites questions.

Elle s'assit sur le banc, la mine résignée.

– Il se trouve, vois-tu, que nous ne suspectons plus tes cousins pour cette chose affreuse qui est arrivée à ta sœur. J'aimerais donc que tu nous dises la vérité, Alisa. Je te promets, parole d'honneur, qu'il ne t'arrivera rien.

Il la fixa dans les yeux. Elle soutint d'abord son regard avant de détourner le sien vers l'école, tristement, en gardant le silence.

– C'est important, Alisa. Tout ce que tu nous diras nous aidera à trouver l'assassin de ta sœur. Tu comprends ? C'est toujours sous le couvert de l'anonymat...

La fillette ne répondait toujours pas et gardait les yeux baissés, grattant le sol avec le pied. Hjalle adressa un coup d'œil de supplication à Monica, qui prit le relais.

– Tu n'as pas à avoir peur, Alisa. Personne d'autre que nous ne saura ce que tu nous diras. Personne, ni tes parents, ni qui que ce soit de ta famille. Tu comprends ?

Alisa regardait toujours droit devant elle. Elle finit pourtant par lâcher :

– Je déteste mes cousins. Je croyais que c'était eux, parce que je les ai entendus dire qu'ils la tueraient. Je voulais seulement vous venir en aide...

Elle se mit à pleurer en silence.

– ... je n'avais pas l'intention de mentir mais... ils sont rentrés à minuit et toute la famille a regardé l'émission. C'est moi qui ai mis le parfum préféré de Yasmina sur son *hijab* et son mouchoir, elle m'en avait donné un flacon, et je les ai déposés dans la voiture d'Amir sans qu'ils s'en aperçoivent.

Hjalle regarda Monica et un poids qui aurait pu s'appeler Hamid tomba de ses épaules.

– Je peux partir, maintenant ?

– Bien sûr.

– Je vous demande de rester ici pour que personne ne vous voie.

– D'accord, Alisa, et...

– Quoi ?

– Prends soin de toi. On pensera à toi.

Elle s'éloigna à grandes enjambées vers la passerelle sans paraître se soucier de ces derniers mots. Au bout de quelques instants, Hjalle et Monica prirent la même direction. Ils comprirent alors pourquoi elle leur avait demandé de ne pas la suivre : de l'autre côté de la passerelle, Hamid l'attendait, appuyé sur une béquille.

2 février

Je vais avouer. Il faut que j'avoue. Le moment est venu, pensa-
t-il, tandis que l'ascenseur l'emportait vers le haut. Mais il devait
d'abord faire disparaître son nom. Il était décidé à avouer quand
il sentirait que *le moment était venu* pour cela. Il avait entendu
parler de ce qui était arrivé au disque dur, car on avait passablement plaisanté à ce sujet, au sauna, comme si c'était le résultat
du bug du millénaire. Maintenant, il lui suffisait d'enlever sa
carte du fichier. À cette heure-là, Agneta était en général occupée
dans son bureau. Il put donc aller prélever sa fiche sans se faire
remarquer.

Puis il reprit l'ascenseur, vers le bas cette fois.

Deux heures plus tard, il était dans le cabinet du docteur
Havemark. Celui-ci le dévisageait, le regard doux mais pénétrant. Il se sentait à l'aise et en sécurité, comme s'il était chez lui.
Il aimait bien que Havemark l'observe, il avait alors l'impression d'exister un peu plus. Cela coûterait certes un bon paquet,
mais quand même. Havemark était quelqu'un de bien, qui
comprenait.

– Comment ça va, Håkan ?

Rien que cette question. Qui d'autre que sa mère aurait eu
l'idée de la lui poser ?

– Comme ci comme ça.

– Tu as éprouvé le besoin de me consulter à nouveau...

– Oui.

– Il s'est passé quelque chose de particulier ?

– Non... mais je ne me sens pas bien. Ça m'arrive, de temps
en temps.

– C'est comme avant ? Les mêmes problèmes, la même
sensation ?

– Peut-être.

– Il y a quelques années qu'on ne s'est pas vus, alors dis-moi
un peu ce qu'il en est. Quelle existence mènes-tu, Håkan ? Que
fais-tu ? Ta mère m'a informé de certaines choses, mais je préfère
les entendre de ta bouche. Tu as interrompu tes études ?

181

Il faut que j'en parle, sinon je vais exploser.

– Il y a longtemps de ça...

– Ça marchait pourtant bien...

Oh non, pas ça. S'il vous plaît. Pas ça.

– Je sais, mais je...

Je ne peux pas. Je n'arrive pas à parler.

– Tu réussissais pourtant bien... en quoi, déjà ?

– En philosophie.

– Ah oui, c'est ça. Il était question que tu entreprennes un doctorat, non ?

– Je me suis inscrit pour ça, mais j'ai perdu l'envie.

– Sur l'existentialisme, c'est ça, n'est-ce pas Håkan ? Sartre, Kierkegaard, Heidegger et toute la bande, poursuivit Havemark avec un grand et chaud sourire.

– Pas Heidegger, ça non, jamais.

– Mais Sartre et Kierkegaard, alors ?

– Oui.

– Tu sais, Håkan, au printemps 1957, j'étais à Paris avec ma petite amie de l'époque, Kerstin, maintenant professeur de psychiatrie à Umeå. On se promenait au quartier latin, sous les marronniers en fleurs par une magnifique journée de printemps, elle et moi, en prenant un pastis par-ci, un Ricard par-là. Et soudain – quelle journée extraordinaire – on a vu Birgitta Stenberg et Paul Andersson*. Tu les connais ?

– J'en ai entendu parler...

– Ils étaient assis à une table. Elle était magnifique, Birgitta. Je crois que l'endroit s'appelait Les Mandarins. Peu après, on est entrés au Café de Flore, et sur qui est-on tombés si ce n'est...

– Jean-Paul Sartre.

– Exactement, avec sa chère Simone de Beauvoir.

– Le Castor.

– Comment ?

– C'est le petit nom qu'il lui avait donné : le Castor. Je suppose que lui c'était Pollux, mais je ne l'ai jamais vu nulle part.

– Je ne le savais pas. Quoi qu'il en soit, on a eu la chance de trouver une table pas très loin de la leur. C'était fascinant, tu

---

* Il s'agit de deux personnalités littéraires de l'époque, très en vue, un peu comme en France le couple cité juste après.

t'en doutes. Quel homme ! Tu aurais dû les entendre parler !
On était hypnotisés, Kerstin et moi. Malgré son œil qui disait
zut à l'autre, selon l'expression. J'ai même eu droit à un autographe. Je l'ai toujours. Je peux te le donner, si tu veux...

Il se laissa aller à ses pensées en observant le visage de
Havemark. Et, soudain, c'est celui de Yasmina qui s'imposa à
lui, ce visage magnifique, l'un des plus beaux qu'il ait jamais
vus. Il eut l'impression que c'était elle qui le regardait.

– Håkan ?

– Oui ?

– Je peux te le donner, si tu veux.

– Quoi ?

– L'autographe. Celui de Sartre.

Pardon, Yasmina. Il faut que tu me pardonnes. Je suis
malade. Je ne suis pas un être humain, mais quelque chose
d'autre. Pardonne-moi, Yasmina. Il faut que je punisse toutes
les putes. C'est comme ça. Pardonne-moi.

– Comment ça va, Håkan ? À quoi penses-tu ?

3 février

– Comment ça s'est passé, chez Havemark, Håkan ? Ça t'a fait du bien ? Tu sais que je m'inquiète pour toi, ces derniers temps. Je ne te reconnais pas. Tu as l'air... comment dire... tellement renfermé. Tu as rencontré quelqu'un ? Quelqu'un qui t'a fait de la peine, Håkan ?

Il promena son regard sur le centre commercial et mangea une bouchée de son morceau de viande de porc. Elle était bonne, ce jour-là, croquante à souhait, on sentait qu'elle venait du Danemark, estima-t-il.

– Non, tout va bien. Je suis un peu déprimé, rien de plus. Je ne sais pas ce que j'ai.

– Comment ça s'est passé chez Havemark ?

– Oh, pas mal. C'est un chic type. Je l'aime bien.

– C'est vrai que c'est un chic type. Tu sais qu'il n'est pas facile d'obtenir un rendez-vous avec lui, mais je le connais. Ton père était de ses amis, lui aussi. À l'époque... ils ont été collègues pendant un certain temps. Tu sais une chose, Håkan-la-cabane...

Il la regarda, surpris. Cela faisait des décennies qu'elle n'avait pas fait cet affreux jeu de mots : Håkan-la-cabane.

– Excuse-moi, ça m'a échappé. Je sais que tu n'aimes pas qu'on t'appelle comme ça. C'est stupide. Tu te rappelles d'où ça vient ?

Non. Il n'avait presque aucun souvenir de son enfance. Il savait où elle s'était déroulée et en connaissait quelques détails, mais l'essentiel avait sombré dans l'oubli.

– Je ne sais pas, est-ce que ce n'est pas...

– Le chêne. Le chêne de la famille, comme on disait, tellement il était magnifique. Tu allais toujours t'y percher aussi haut que tu pouvais. Dans la cabane que tu y avais installée. Si haut que tu avais du mal à entendre quand on t'appelait. Tu étais seul, dans ton univers...

Seul ? Pourquoi en ai-je si peu de souvenirs, alors ? Est-ce que j'allais souvent m'y percher ? Une petite lumière s'alluma en lui, une image qui avait goût de bonheur. Mais quelque chose d'autre, beaucoup plus affreux, vint s'y mêler. Quelque chose qui se déroulait sous le vasistas, en dessous de lui. Quelque chose de bizarre, des corps dégoûtants qui s'agitaient.

– ... c'est ainsi que t'est venu le surnom. Tu te plaisais mieux là-haut, dans cette cabane, que parmi nous, dit la mère en riant. Pendant un certain temps, au moins. Tu sais une chose, Håkan...

– Quoi ?

– J'estime que tu ne devrais pas faire autant de musculation. Je ne te reconnais plus. Tu es si grand et fort, maintenant. Je veux dire : on n'a quand même pas besoin d'autant de muscles pour être agent de sécurité, hein ?

– Je ne sais pas.

– Britta m'a dit qu'elle t'a croisé en ville, il n'y a pas long-temps, et elle a eu du mal à te reconnaître. Ta propre tante, Håkan. Je ne trouve pas ça bien, tout simplement. Tu ne peux pas me promettre de te modérer un peu, Håkan ?

Il entendait à peine ce qu'elle lui disait, car ses paroles se confondaient avec le brouhaha du centre commercial.

– J'ai déjà arrêté.

– C'est trop, Håkan. Ce n'est pas ce que je te demande...

– Je te dis que c'est fait, maman. J'ai arrêté avant-hier. Je voudrais être admis quelque part, maman.

– Qu'est-ce que tu veux dire ?

– J'aimerais être interné.

– Comme il y a dix ans, dans l'établissement du Blekinge. Comment s'appelle-t-il, déjà ? Tu y es resté trois mois. C'est ça que tu veux dire ?

– Oui...

– Qu'est-ce que Havemark en pense ?

– C'est à toi que je pose la question, maman.

– Tu m'inquiètes, quand tu parles comme ça. Havemark doit savoir si c'est possible. Je suis sûre qu'on pourra arranger ça, Håkan. Mais comment partir à Seattle, quand je te vois ainsi, Håkan ? Qu'est-ce que tu en penses ? De ce congrès dont je t'ai parlé, tu t'en souviens, Håkan ?

– Pourquoi papa a-t-il mis fin à ses jours ?

La mère se figea et regarda autour d'elle. Les autres clients de La Terrasse s'éloignaient les uns après les autres et les tables voisines venaient d'être désertées, à son grand soulagement.

– Tu sais que je n'aime pas en parler. Aurais-tu recommencé à te mettre martel en tête à ce sujet, Håkan ?

Tu le sais très bien, espèce de salope. Tu sais pourquoi mais tu ne veux pas le dire parce que, si tu le dis… tu meurs, pensa-t-il en revoyant intérieurement une image enterrée si profondément en lui qu'elle n'avait affleuré qu'un dixième de seconde : sa mère frétillait, le visage rayonnant de bonheur, sous une grande glace, au milieu de plusieurs hommes nus.

– Ne me regarde pas comme ça, Håkan. Je n'aime pas ça. Je t'interdis de me regarder ainsi, Håkan.

Tu ne peux plus rien m'interdire.

– Il y a des fois où tu perds tout sens de la décence, fit-elle en détournant le regard vers La Crêperie. On en a déjà parlé bien des fois, tu sais parfaitement qu'on ne peut jamais savoir pourquoi quelqu'un met fin à ses jours. Ce n'est pas possible. Chacun emporte ce secret dans la tombe avec lui. Si tu veux, je vais demander à Havemark de te faire admettre quelque part ? Je peux aussi renoncer à ce voyage à Seattle, si tu le désires. Réponds-moi, Håkan ! As-tu déjà demandé ton congé de maladie à Slagthuset ? Il faut que tu le fasses. Tu ne peux pas continuer à travailler dans cet état-là. Quelle idée, aussi, de donner un nom pareil* à un dancing !

Il la regarda, l'air absent.

– Il y a bien une rue du quartier de Lugnet qui s'appelle Diskontogången**. Quel nom grotesque, hein ?

Elle observa son fils avec effroi, comme si elle s'attendait à tout de sa part.

– Si on m'avait obligé à vivre là, je serais allé au service de la voirie leur demander de changer le nom, ou les forcer à le faire, pour Rövhålsgränd***. J'aurais préféré vivre au 1 d'une telle rue que dans Diskontogången, je te jure.

La mère eut un petit rire nerveux, puis sortit son portable et composa le numéro de Havemark. De son côté, il ne manqua pas de relever qu'elle sentait comme d'habitude. La même odeur de vieille pute que d'habitude.

---

* Rappelons que ce mot veut dire : L'Abattoir.
** À savoir : Allée de l'Escompte.
*** C'est-à-dire : Ruelle du Trou-du-cul.

4 février

– Ta mère s'inquiète pour toi, Håkan.

– Je sais. C'est comme ça depuis toujours. Surtout depuis qu'elle a tué mon père.

– Ce n'est pas gentil de dire ça, Håkan.

– Je ne suis pas gentil. Plus maintenant.

– Tu sais que ton père s'est suicidé. Il n'y a jamais eu le moindre doute à ce sujet. Elle n'était même pas sur place quand c'est arrivé. Pourquoi l'accuses-tu, alors que tu sais que ce n'est pas vrai ?

– Je sais qu'elle ne l'a pas mis à mort.

– Eh bien, c'est parfait.

– Mais qu'elle lui a enlevé toute *raison de vivre*.

Havemark poussa un profond soupir et regarda son patient d'un air grave.

– Je crois que vous avez parlé de ton désir d'être admis quelque part, c'est exact ?

– Oui. J'ai peur, peur de moi, je me sens... instable. Je suis instable et je me dégoûte.

– Tu sais que ce n'est plus aussi facile, maintenant, d'être admis dans ce genre d'établissement. Pourtant, tu t'en tires pas mal, non ? Tu es capable de faire tes courses, de travailler – à moins que tu ne sois en congé de maladie, en fait, ou que tu ne désires que je t'y mette ?

– Ce serait bien. De ne plus voir toute cette lie.

– Où travailles-tu, déjà ?

– À Slagthuset.

– Qu'est-ce que c'est ?

– Un lieu d'accouplement pour animaux en rut. Où il y a de la musique et de l'alcool, aussi. Mon boulot, c'est de mettre dehors ceux qui sont trop soûls.

Havemark secoua posément la tête en regardant dans son agenda.

– Ce n'est pas un lieu de travail pour toi, Håkan. Tu as d'autres capacités. Du point de vue intellectuel.

189

Des capacités, ah bon ? Lesquelles ? J'en avais, oui. Mais c'est bientôt fini, maintenant. Je n'ai encore que trente-huit ans mais ce sera bientôt fini, plus rapidement que je ne le pensais. Je ne veux plus continuer ainsi, c'est sans issue.

– Je vais m'informer auprès de Sjömora, un établissement du Blekinge, pour savoir s'ils peuvent te prendre. Pour l'instant, je te mets en congé de maladie et je te prescris quelques antidépresseurs, aussi. Ça te va comme ça ? Si tu veux, on peut se voir un peu plus souvent. Trois fois par semaine, par exemple ?

– Je crois que oui.

– Eh bien, disons : lundi, mercredi et vendredi. À partir de la semaine prochaine, donc.

Slagthuset, se dit Havemark, tandis qu'un désagréable pressentiment lui traversait l'esprit pour s'évanouir très vite.

– Qu'est-ce qui s'est passé, quand tu travaillais, à Svalöv ou ailleurs ? Ta mère m'en a parlé. Tu étais professeur, là-bas, n'est-ce pas ?

– Oui.

– De quoi ?

– D'histoire et de philosophie.

– Mais tu as démissionné, n'est-ce pas ?

– On peut dire ça comme ça.

– On peut dire ça comme ça ?

– Y a eu des problèmes.

– De quel genre ?

– Avec une élève.

– Qui ça ?

– Une pute, une de ces putes de gauche qui se prétendent cultivées.

Havemark l'observa, l'air soucieux.

– Qu'est-ce que tu entends par là ?

– Ce que je dis. La plus belle pute de tout le collège.

– Tu es tombé amoureux d'une de tes élèves, Håkan ?

Comment peut-on en arriver là ? À ce point de mocheté et de saloperie.

– Non, ce serait plutôt le contraire.

– Ah bon, qu'est-ce qui s'est passé ?

Il n'eut pas la force d'en dire plus et se contenta de regarder fixement devant lui. Havemark s'étira et jeta un coup d'œil à sa montre. Puis il attendit un instant avant de conclure :

– On verra ça la prochaine fois, Håkan. Mercredi. Fais attention à toi, en attendant. Si tu ne parviens pas à dormir, prends un somnifère. Je t'en prescris aussi.

– De quels éléments disposez-vous ? demanda Jönsson d'un air soucieux en regardant Hjalmar et Monica. Si tant est que vous en ayez ?

– On est en train de dépouiller la liste des participants à la journée de formation au Sheraton et celle des adresses des employés, à l'hôtel et à Slagthuset. Ça représente des centaines de noms et tout ce qu'on peut leur demander, c'est s'ils ont une petite voiture rouge. Ça ne va pas très loin. On est parvenus à trouver le nom d'un certain Ronny Carlsson, qui fait de la musculation dans la salle de gym du vingtième étage. Il a déjà été mis en examen pour viol sur son ex. Il a un alibi dans les deux cas, hélas, mais on ne lâche pas le morceau, commissaire, on le trouvera, j'en suis sûr, affirma Hjalmar en faisant de son mieux pour avoir l'air convaincant.

Une fois seuls, il se tourna vers Monica.

– Qu'est-ce que tu en penses ? Qui est-ce qu'on cherche, au juste ? Il viole et tue et pourtant il n'est apparemment pas capable de pénétrer ses victimes ou, en tout cas, d'éjaculer.

Elle prit place sur la chaise en face de lui et se racla la gorge avec une soudaine expression de gravité et d'intense réflexion qu'il ne lui connaissait pas encore.

– En gros, on peut distinguer quatre types de viol, dont l'élément essentiel est respectivement la domination, la colère, le sadisme et un quatrième plus difficile à déterminer. Le premier se caractérise par le fait que celui qui s'y livre a recours uniquement à la dose de violence dont il a besoin pour parvenir à ses fins. Le second est caractérisé par un déchaînement, souvent de nature impulsive, alors que le précédent est minutieusement préparé, y compris sur le plan des fantasmes. C'est dans le troisième que la part d'érotisme est la plus grande. Le violeur jouit d'infliger de la souffrance à sa victime, parfois même de la tuer. Dans le cas présent, j'ai le sentiment qu'on a affaire à la deuxième catégorie, celle qui est motivée par la colère, et que ce viol a été commis par quelqu'un qui est profondément frustré et très dangereux. Ce qui implique presque fatalement que c'est un homme.

– Curieux, c'est aussi mon avis, Monica, fit Hjalle.

Monica ne prêta pas attention à la remarque et poursuivit son exposé.

– Comme dans tous les cas de crime sexuel, tu ne l'ignores pas, il peut s'agir de quelqu'un qui a lui-même subi des abus de cette nature au cours de son enfance ou par la suite. Les chercheurs ont mis en évidence le fait que quatre-vingts pour cent des coupables de viol en ont d'abord été victimes. Ce qui se produit, c'est que, en s'identifiant à celui qui s'en est pris à lui, le violeur tente de se libérer de la haine et de l'impuissance qu'il a ressenties jadis. C'est ça qui est pervers, si on veut : c'est souvent en commettant son crime que le coupable se rend compte qu'il en a lui-même été victime. Il duplique son destin, en quelque sorte, prisonnier d'une sorte de cage, d'un cercle vicieux dont il est à peu près incapable de sortir et de la haine dont il est possédé – et qui n'est pas nécessairement manifeste au quotidien, il s'agit parfois de quelqu'un de parfaitement adapté par ailleurs – et qui s'exprime dans certains cas sous forme de compulsion irrésistible. Ainsi que d'hallucinations et de voix.

– Qu'est-ce qu'on peut faire, d'après les chercheurs, puisque tu es si bien informée ? demanda Hjalle, ébahi par la capacité de sa nouvelle collègue d'expliquer en si peu de mots des phénomènes aussi complexes.

– Tu veux dire : nous, maintenant ?

– Non : comment peut-on soigner une telle personne, d'après toi ?

– Le seul remède, c'est une thérapie longue et délicate, volontiers en groupe, qui permette au patient de comprendre la raison pour laquelle cette haine a pris racine en lui. C'est la seule solution que je vois. Il serait absurde de s'en remettre uniquement à la répression. Il faut procéder comme un jardinier qui a détecté de la pourriture sur une racine : creuser aussi profondément que possible pour extirper le mal. Dans certains cas, il est nécessaire d'aller jusqu'à la castration chimique.

Ils restèrent muets, réfléchissant à ce qu'elle venait de dire. Elle semblait avoir quelque chose en tête et, au bout d'un moment, elle soupira :

– J'ai pensé à ça hier, dans mon lit. On n'a presque rien à se mettre sous la dent, mais une chose m'a frappée...

– Quoi ?

– J'ai eu une idée. Elle est peut-être stupide mais, faute de mieux, on pourrait l'essayer. Ou plutôt *les* essayer, car il y en a deux. Si tu es d'accord, bien entendu.

– Je t'écoute, lâcha-t-il, impatient.

– On a découvert que le parfum utilisé par Yasmina et Anna est vendu dans une boutique d'importation directe de Rörsjögatan. Il vient du Pakistan et il est à base de mélange de jasmin et de pavot. Il existe depuis les années 60, mais il ne s'est jamais imposé et n'a pas connu un grand succès de ventes, par exemple au rayon spécialisé des grands magasins. Je suis allée parler à la propriétaire de la boutique, qui se souvient de Yasmina, mais pas d'Anna, et pourtant elle semble savoir parfaitement ce qu'achètent ses clients. Et elle est la seule à vendre ce parfum-là en Scanie. J'en ai acheté un flacon et je me suis dit que je pourrais m'en mettre ce week-end pour aller à Slagthuset. As-tu envie de sortir ? lui demanda-t-elle avec un sourire.

Le visage de Hjalle s'illumina. Il ne se rappelait plus la dernière fois où il était allé danser. Quand il sortait avec Peo, c'était uniquement pour boire de la bière et, avec Ann-Mari, il y avait une dizaine d'années qu'ils n'étaient pas allés dans un dancing.

– Pas si bête, après tout.

– Vendredi *et* samedi. L'idée, c'est que je me balade le plus possible pour faire sentir mon parfum. S'il est là, ça va peut-être lui donner des envies, à lui aussi. L'autre idée est peut-être un peu spéciale...

– À savoir ?

Elle le regarda avec gravité, comme si elle pesait toujours le pour et le contre.

– Ce soir. Un *swinger club*, dans le port...

– Du jazz ?

– Euh, non, pas vraiment, répondit-elle avec un sourire énigmatique.

– Qu'est-ce que c'est, alors ?

– Eh bien, des échangistes, c'est-à-dire des gens qui ont, enfin... des relations sexuelles en groupe – genre *safe sex* : protégées et consensuelles, quoi. C'est souvent des couples qui viennent en rencontrer d'autres…

Hjalle sentit le rouge lui monter aux joues. Pas seulement à cause du sujet, mais plutôt de son ignorance. Il eut un petit rire nerveux.

– Comment…

– C'est une culture qui est maintenant répandue dans le monde entier. Certaines personnes désirent pimenter leur vie sexuelle ou mettre à l'épreuve leurs rêves et fantasmes dans ce domaine. On distingue d'ailleurs plusieurs catégories ou « branches »…

– Comment sais-tu tout ça ? lui demanda-t-il, avec l'impression d'être un puceau de quinze ans.

– Je le sais et puis basta. Ne t'inquiète pas. Il suffit d'avoir un peu étudié la sexologie, ajouta-t-elle avec un sourire. Quoi qu'il en soit, une de ces branches est connue sous le nom de *gang-bang* et se caractérise par des viols collectifs ritualisés et librement consentis, pour ainsi dire. Tout le monde est de la partie, même les femmes. C'est une façon de réaliser ses fantasmes de viol, si tu veux…

– Et qu'est-ce que tu suggères… soupira-t-il non sans une certaine inquiétude.

– J'ai trouvé le numéro sur Internet et j'ai appelé un des responsables. Ils acceptent qu'on se présente pour un entretien d'admission, si ça nous intéresse. La séance, si on peut qualifier ça ainsi, commence à dix heures…

– Un entretien d'admission ?

– Oui, ils veulent savoir à qui ils ont affaire et, ainsi, ils éliminent les candidats qui ne leur paraissent pas sérieux.

– Pas sérieux ?

– Pervers, si tu veux. Il serait peut-être temps de te faire déniaiser, Hjalle.

« Déniaiser », peut-être bien, après tout ? Il y avait des fois où il se demandait dans quel monde il vivait. Des « viols consentis », qu'est-ce que… ?

Monica fit un nouvel effort de pédagogie.

– Je précise simplement que c'est un mouvement qui a plus à voir avec Elise Ottesen-Jensen[*] qu'avec l'industrie de la pornographie. Ou une variante du nudisme, si tu veux. Même s'ils

---

[*] Pionnière de l'éducation sexuelle et du planning familial en Scandinavie.

poussent les choses un peu plus loin, il faut bien l'admettre. Le nom de l'association, Santé et Plaisir, l'indique assez, d'ailleurs, ajouta-t-elle avec un sourire.

Il eut du mal à trouver ses mots mais finit par dire :

– Pourquoi un criminel sexuel potentiel irait-il là-bas ?

– Ce soir, c'est un peu particulier, ils ont une « soirée *gang-bang* ». Ils vont donc être un peu moins exigeants que d'habitude quant aux règles d'admission. Pas seulement des couples, aussi des hommes... seuls, quoi. Je suis bien sûr de ton avis, il est peu probable que notre homme y vienne, mais *you never know*. Qu'est-ce que tu en dis ?

Les pensées de Hjalmar erraient furieusement. Il avait honte de n'avoir jamais entendu parler de ce phénomène de société. Puis elles plongèrent dans sa propre vie sexuelle – pratiquement inexistante – et il fit un rapide tour d'horizon de sa famille. Micke. Niklas. Olle. Kim. Où est papa, ce soir ? Il fait des heures supplémentaires. Où ça ? Dans un *swinger club*. Qu'est-ce que c'est ? Un endroit où tout le monde baise avec tout le monde. Ah bon...

Il lui arrivait d'avoir l'impression que l'histoire de sa propre vie progressait, naturellement pas de façon régulière mais en faisant alterner longs moments d'immobilité et bonds en avant. En ce moment précis, il avait le sentiment de se trouver devant l'un de ces bonds et d'être un homme d'âge mûr n'ayant pas fait l'amour depuis sept mois sur le point de se rendre dans un *swinger club* en compagnie d'une belle jeune femme aux traits asiatiques.

Il fit de son mieux pour reculer le moment de la décision, car il avait du mal à respirer.

– Est-ce que ça implique d'être nu, ou non ?

– C'est comme on veut, nu ou en sous-vêtements, lui dit-elle avec un sourire.

Il la regarda pensivement, comme s'il pesait le pour et le contre, et finit par lui répondre :

– Non, Monica. Désolé, j'en suis pas capable.

Il perçut comme une légère déception, dans ses yeux. Elle se leva et se dirigea vers la porte.

– Parfait. Alors, j'irai seule, pour ta gouverne. Mais je ne veux pas que nos collègues le sachent, car ça pourrait être interprété de travers. Si tu changes d'avis, appelle-moi sur mon portable.

L'instant d'après, elle avait disparu. Il resta un moment assis dans son fauteuil. En lui, un sentiment de profond dégoût et un autre, de curiosité pure et simple, se livraient une rude bataille. Il finit par se lever et s'entendre murmurer :

– Bon, d'accord. Mais uniquement pour la bonne cause.

– Est-ce qu'on ne pourrait pas aller au cinéma, à la place, ce soir, Hjalle ?

Ann-Mari le regardait par-dessus la table. Elle avait rendu visite aux étals des poissonniers. Or, les filets de carrelet panés à la sauce rémoulade qu'elle cuisinait étaient aussi bons que ceux du ferry de Dragør, d'après Hjalle. Il se léchait donc les babines en portant le dernier morceau à sa bouche.

– Je peux faire garder les enfants, ma mère a promis de venir, si on voulait. Ils passent *Une histoire d'amour** et j'aimerais le revoir.

– Il faut que je fasse des heures sup, Ann-Mari.

– Des heures sup ? Encore ? s'exclama-t-elle avec un soupir de déception. Je veux sortir, moi, Hjalle.

– C'est l'affaire Yasmina.

– Qui ça, Yasmina ?

– La Palestinienne, tu ne te rappelles pas ?

– Cette saloperie de crime d'honneur ?

– En effet. On pense qu'on tient une piste.

– Où est-ce que vous allez, alors ?

Il la regarda en cherchant fébrilement dans sa tête un mensonge qu'elle pourrait gober.

– Il faut qu'on fasse le tour de divers lieux que le meurtrier est susceptible de fréquenter, selon nous. Des boîtes de nuit et autres établissements de ce genre.

– Nous ?

– Un collègue et moi.

– Qui ça ?

– Je ne sais pas encore, Jönsson va m'envoyer quelqu'un, dit-il en finissant de boire sa bière. Jeudi, vendredi et samedi soir, on va être sur le pied de guerre.

_____
* Film de Roy Andersson, sorti en 1970, qui conte une très belle et très pudique histoire d'amour entre deux adolescents.

Elle regarda par la fenêtre, l'air profondément déçue.

– On ne pourrait pas aller danser, nous aussi, un soir ? Ou suivre des cours de salsa ou de tango, qu'est-ce que tu en dis ?

– Peut-être.

Un silence prolongé s'abattit sur la cuisine. De la salle de séjour leur parvenait le son du dernier jeu télévisé à la mode. Ann-Mari referma la porte de la cuisine sur eux.

– Qu'est-ce que tu fais ?

– Est-ce qu'il y a quelqu'un d'autre ?

– Comment ça, qu'est-ce que tu veux dire ?

– Ce que je dis : est-ce que tu as rencontré une autre femme ?

– Non, pourquoi me demandes-tu ça ? J'ai une planque à faire, c'est tout. Comme d'habitude, Ann-Mari…

– Comme d'habitude ? Non, pas comme d'habitude. Absolument pas.

Il alla la prendre dans ses bras, mais il entendit lui-même à quel point cela sonnait faux quand il lui dit :

– Si, Ann-Mari. Tout est exactement comme d'habitude. Et, si tout se passe comme je l'espère, on va bientôt coincer ce salaud. Et alors on pourra aller au ciné ou danser, comme tu voudras. Je te le promets.

Elle ne répondit pas et se contenta de le serrer très fort dans ses bras, comme si elle ne voulait pas le lâcher.

– Plus qu'une demi-heure, dit Monica, nerveuse, en sirotant sa pinte de bière.

Ils étaient assis au pub Bishop's Arms, après avoir passé avec succès l'entretien avec le responsable du *swinger club*. Monica lui avait raconté qu'ils travaillaient dans une agence de voyages et vendaient des séjours organisés à Phuket. Hjalle avait été impressionné par l'aisance avec laquelle elle répondait aux questions de son « examinateur ». Elle s'était mis du rouge à lèvres, du mascara et des faux cils qui donnaient à ses yeux un air encore plus asiatique, selon lui. Elle portait une jupe noire très courte et un corsage vert foncé avec, sur le devant, un motif décoratif brodé au fil d'or. De petites boucles d'oreilles rouges taillées dans une pierre quelconque encadraient son visage. Le contraste avec la façon dont elle s'habillait au quotidien n'aurait pu être plus net.

Soudain, il revit une scène de son enfance : il a six ans et doit procéder à une analyse d'urine. Ils sont neuf garçons alignés tout nus devant le médecin scolaire, homme à lunettes à la mine sévère, et il cache son sexe de son mieux, en rougissant. Au moment décisif, il est dans l'impossibilité de s'exécuter. Il se rappelait encore la façon dont les autres s'étaient moqués de lui et le regard sans pitié du médecin.

– Comment fait-on ? demanda-t-il.

– On va d'abord s'asseoir dans la salle d'accueil. Au bout d'un moment, j'entrerai dans la « salle thématique » – c'est là qu'a lieu le « thème » du jour –, où tu me rejoindras, ajouta-t-elle comme si c'était la chose la plus naturelle au monde.

Quelques instants plus tard, ils étaient en route.

L'éclairage était tamisé et on entendait la rumeur de la salle d'accueil. Hjalle sentit une sueur froide perler sur son front et entendit dans ses oreilles la voix d'Ann-Mari : N'oublie pas l'anniversaire de Johan, après-demain. Il faut qu'on trouve quelque chose. Il aimerait une crosse de hockey, mais ça coûte deux mille couronnes. Est-ce qu'on en a les moyens ? Dans le vestiaire se trouvait un couple dans la soixantaine, la femme en corset noir, porte-jarretelles et bas résille, l'homme en chaussettes et slip noir. Il y avait dans l'image de ces deux personnes vieillissantes quelque chose de touchant qui atténua un peu la nervosité de Hjalle. L'instant suivant, il vit arriver Monica en soutien-gorge rouge, culotte de dentelle rouge et bas résille noirs et il ne put s'empêcher de laisser échapper un « oh » de surprise admirative qui la fit sourire de toutes ses dents. Pour sa part, il portait un slip noir et des chaussettes grises et ce n'est pas sans appréhension qu'il inspecta son propre ventre dans la glace. Monica lui adressa un sourire tandis que l'autre couple quittait la pièce.

– Prêt ? lui glissa-t-elle à l'oreille.

– Allons-y.

Ils pénétrèrent dans la salle d'accueil, Hjalle en bombant le torse et rentrant le ventre. Il constata aussitôt que Monica attirait tous les regards. Ce qui le frappa aussi, c'est que les corps en sous-vêtements étaient plus attirants que ceux qui étaient nus. Quatre ou cinq couples des deux catégories avaient pris place sur les canapés. Ils saluèrent timidement ceux qui étaient les plus proches d'eux et se laissèrent choir à côté du plus jeune. L'homme qui leur avait présenté les lieux frappa dans ses mains. Au même moment, quelques couples légèrement vêtus et quatre hommes seuls pénétrèrent eux aussi dans la pièce. Au total, il y avait maintenant une trentaine de personnes.

– Il est moins cinq. À dix heures précises débuteront les jeux thématiques, sous la conduite d'Agneta, pour ceux qui le désirent, dit-il en se tournant vers une femme dans la quarantaine aux longs cheveux relevés en chignon, à l'opulente poitrine et en sous-vêtements blancs. N'oubliez pas que si elle dit « rouge », cela veut dire « arrêtez » et si elle dit « rose », cela signifie « allez-y plus doucement ».

Ce qui frappa Hjalle, en voyant ceux qui l'entouraient, c'est qu'ils avaient l'air de gens ordinaires. C'est une sorte d'échantillon de la population suédoise, eut-il le temps de se dire, ni reines de beauté ni fétichistes de la musculation. Agneta lui rappelait une voisine de Fågelbacksgatan, ce qui l'inquiéta un peu jusqu'à ce qu'il soit sûr que ce n'était pas elle. Le volume sonore s'accrut tandis que la lumière baissait encore d'intensité. Sur le canapé voisin, une jeune femme se mit à sucer le sexe de son partenaire. Hjalle ne savait plus trop où poser les yeux. Monica, elle, se leva et passa dans la pièce d'à côté, où trônait une sorte de siège gynécologique, et il se sentit à la fois stupide et abandonné en entendant le bruit que faisaient ses voisins. En face de lui, un autre couple se lança dans les mêmes ébats. Au bar étaient assises les deux personnes d'un certain âge qu'il avait croisées dans le vestiaire. Elles bavardaient sans paraître se soucier de ce qui se passait autour d'elles. Il se leva. Dans la pièce où se trouvait le siège, l'activité battait maintenant son plein. Un homme était en train de prendre par-devant la femme qui se faisait appeler Agneta tandis que, de son côté, elle en suçait trois debout près d'elle. Derrière eux, deux ou trois autres formaient une sorte de queue et se masturbaient légèrement en attendant leur tour. Les moniteurs vidéo passaient des films pornographiques, et l'odeur d'encens et de bougies se mêlait à celle de sexe. Soudain, il découvrit Monica, juste derrière Agneta, entre deux hommes qui se masturbaient. Elle avait le regard fixé sur le bas-ventre d'Agneta, qui oscillait en rythme. Il sentait son propre membre se durcir et ses yeux ne cessaient d'aller du visage de Monica à Agneta, qui avalait goulûment, telle une morte de faim, tous les pénis qui s'offraient à elle. Soudain, un homme éjacula et déversa son sperme sur son ventre en gros jets blancs. Un autre prit aussitôt sa place et il s'aperçut rapidement, non sans gêne, qu'il était mûr, lui aussi. Son érection était de plus en plus marquée et il fut obligé de se forcer à penser à autre chose. À une séance de patinage à Yddingen, par exemple. Il ferma les yeux et recula de quelques pas. La belle glace blanche. Tout d'un coup, il sentit une main se glisser dans la sienne. Elle le guida fermement vers la pièce d'à côté, plongée dans le noir et uniquement meublée de coussins, un peu comme la salle de détente du jardin d'enfants de Micke. Il se laissa entraîner sans réfléchir mais, au parfum, il reconnut vite Monica. Il ouvrit les yeux et ils trébuchèrent sur un couple avant de trouver une place libre. Il s'étendit sur le dos sans lui lâcher la main et sentit son souffle dans l'oreille.

– Toujours pas de réaction à mon parfum. Je me suis approchée de tous les hommes. Mais rien, même pas un regard. On s'en va ?

S'en aller ? Il laissa retomber sa tête parmi les coussins. À côté d'eux, une femme approchait de l'orgasme. Il serra un peu plus fort encore la main de Monica.

– Ne bouge pas. Reste couchée comme ça et serre-moi dans tes bras.

Elle posa l'autre main sur lui. Au moment où elle l'effleurait, il fut incapable de retenir plus longtemps ses larmes. Sa voisine, elle, se laissait aller à sa jouissance en poussant de longs gémissements de soulagement suivis d'un silence uniquement rompu par les sanglots de Hjalle.

Il ferma les yeux et, malgré les efforts qu'il déployait pour résister, il se sentit chuter dans un vaste espace doux et noir, vers la chaleur de Monica et le désir de faire l'amour avec elle. Il entendit un couple quitter la pièce puis la bouche de Monica qui lui demandait à l'oreille :

– Qu'est-ce qui se passe ? Tu ne te sens pas bien ?

Il ne répondit pas. Ses larmes coulaient à flots, en silence et intensément. Elle le serra contre son corps chaud et cessa de tenter de lui parler.

Et elle resta couchée ainsi, pendant plus d'une heure, avec l'inspecteur Hjalmar Lindström dans ses bras.

Il était deux heures du matin lorsque Monica gara la voiture dans Fågelbacksgatan. Elle coupa le moteur et le regarda.

– Comment ça va ?

Hjalle se contentait de fixer un point, droit devant lui, tellement il avait honte. Pourtant, il se sentait soulagé, aussi, comme si ses larmes l'avaient lavé de quelque chose de figé qui remontait très loin dans le temps. Lorsqu'il osa enfin la regarder, il avait le cœur léger.

– Très bien, Monica, merci.

– Qu'est-ce que tu en penses ? Tu veux qu'on tente le coup à Slagthuset, aussi ?

Elle paraissait lasse, en disant cela. L'un de ses faux cils avait glissé et était un peu de travers, ce qui le faisait paraître encore plus long. Elle n'était plus seulement jolie, elle était belle. C'était la plus belle femme qu'il ait vue depuis longtemps et il sentit le poids d'une famille entière s'abattre sur lui.

– Bien sûr. On se retrouve demain à neuf heures devant l'entrée.

9 février

– Qu'est-ce qui s'est passé dans cette école, Håkan ? Tu te rappelles ce qu'on a dit la dernière fois ?

Havemark se pencha par-dessus la table pour tenter de capter le regard buté de Håkan, qui refusait de s'exprimer, ce jour-là. Il ne savait pas pourquoi, c'était ainsi, voilà tout.

– Tu as parlé de « pute », tu t'en souviens ? Tu m'as dit que quelqu'un était tombé amoureux de toi. Je crois que tu as utilisé une expression comme « pute de gauche » et « pute se prétendant cultivée ». Aurais-tu été perturbé par un événement de nature politique ?

Politique ? Ces putes de gauche bien intentionnées et avachies qui croient tout savoir sur le monde. Qui se targuent d'être marxistes parce qu'elles ont lu un résumé de l'œuvre de Marx – et pareil pour Freud. C'est débile. Totalement. Les Hautes Écoles Populaires regorgent de ce genre de petites putes communardes trop peu douées et trop fainéantes pour obtenir un poste à l'université. À la campagne, elles sont à leur place, elles peuvent se faire baiser au grand air sans avoir à accomplir trop d'efforts.

– Je me suis informé pour savoir s'il y aurait un établissement qui pourrait t'accueillir un ou deux mois. J'en ai trouvé un à Solhaga, près de Simrishamn. Ils ont de la place entre début mars et fin avril. Qu'est-ce que tu en dis ?

– C'est pas mal…

– Tu as une petite amie, en ce moment, Håkan ? Tu vois quelqu'un ?

Je vais me mettre en quête de Kajsa, aussi. Lui briser la nuque, à cette salope.

– Non.

– Tu n'as personne en vue ?

La faire monter de force dans la voiture, l'emmener à la campagne, la boucler dans une maison à l'écart, quelque part, la découper en petits morceaux et faire de la chair à pâté de sa chatte.

– Personne « dans le collimateur », comme disent les jeunes de maintenant, insista Havemark avec un sourire, pour tenter d'inciter Håkan à sortir de sa coquille.

– Non.

– Tu ne crois pas que ce serait bien que tu quittes ton emploi actuel ?

– Peut-être.

– Tu ne veux pas t'inscrire en faculté pour recommencer à étudier ? Il n'est jamais trop tard, surtout de nos jours. J'ai une collègue qui a entrepris ses études de médecine à quarante-six ans. Elle a ouvert un cabinet à cinquante-trois.

C'est un scandale. Ça ne devrait pas être permis. Quelle perte pour la société.

– Peut-être.

– Veux-tu que nous t'aidions à t'informer ?

– Pas besoin.

Havemark le regarda. Il savait qu'il s'agissait d'un patient en grande détresse, mais il se sentait perplexe, impuissant, et c'est pourquoi il se rabattit sur une solution éprouvée de longue date.

– Si on parlait de ton père, Håkan ?

Celui-ci se tortilla sur son siège.

– Elle s'appelait Kajsa.

– Qui ça ?

– Elle.

– Je ne comprends pas de qui tu parles.

– La pute de Svalöv.

– Ah oui, cette femme qui est tombée amoureuse de toi.

– C'est ça.

– Pourquoi la qualifies-tu de façon aussi péjorative ?

– Elle est du genre que tout le monde peut baiser. Faudrait les punir à coups de bite molle, ces putes.

– Pourquoi ça ? Pourquoi la punir, Håkan ? Qu'est-ce qu'elle a fait ?

– Je l'ai déjà dit, siffla Håkan. Elle a baisé avec la moitié de l'école.

– Pourquoi faudrait-il la punir ? Bien des femmes vivent leur vie, maintenant, pourquoi en faire des putes, comme tu dis, et les punir, hein ? Håkan ? insista Havemark, soucieux.

Quelque chose dans le comportement de son patient l'inquiétait pour de bon. Une idée commençait à se faire jour en lui, mais il n'osait pas la suivre jusqu'au bout.

– On fait pas ce genre de chose.

– Pourquoi pas, Håkan ?

– On le fait pas, quoi. C’est dégoûtant.

– Pourquoi est-ce dégoûtant ?

– C’est dégoûtant, un point c’est tout.

– Pourquoi ? Qu’est-ce qu’elle t’a fait, Håkan ?

Son visage prit une expression de totale indifférence puis se figea en une grimace si pleine de dégoût que Havemark ne put s’empêcher de trouver à son patient une laideur bestiale. Ce jeune homme au physique normal qu’il suivait depuis bien des années et qu’il avait toujours considéré comme très doué et en avance sur son âge s’était soudain mué en une sorte de grotesque gueule de fauve enfoncée entre deux épaules de colosse et deux énormes biceps, et dans un poitrail en forme de mur. Et, derrière tous ces muscles, cette petite voix claire qui avait toujours fait preuve d’une extrême timidité.

Håkan finit par lâcher, à voix basse :

– Elle m’a humilié.

– De quelle façon ?

Il se referma sur lui-même.

– De quelle façon, Håkan ?

– Elle m’a demandé de l’attacher. Pour jouer à un jeu. Je ne voulais pas mais…

– Mais quoi ?

– Je l’ai attachée aux montants de mon lit, avec des cravates. Elle aimait bien ça et, quand j’en ai eu terminé…

– Qu’est-ce qui s’est passé ?

– Elle s’est mise à crier.

– Quoi ?

– Qu’elle voulait que je la prenne. Brutalement.

– Et alors ?

On aurait dit qu’une sorte de distraction maladive luttait en lui contre un désir de raconter. Havemark sentait qu’il lui faudrait se battre, lui aussi, pour maintenir la tête de son patient hors de l’eau.

– Je me suis déshabillé et…

– Essaie de le dire, Håkan, c’est important.

– J’ai essayé de la prendre, mais…

– Tu n’y es pas parvenu, hein ? Parce que tu ne le voulais pas, en fait. Pas de cette façon, n’est-ce pas ?

– C’est ça.

– Qu'est-ce qui s'est passé ensuite ?

– Je me souviens plus très bien...

– Fais un effort.

– Elle s'est moquée de moi, avec un rire glacial. Sarcastique. Comme une sale pute. Je me suis précipité au-dehors et je suis parti en courant. J'ai quitté l'école à travers champs. C'est après ça qu'ils m'ont mis à la porte.

– Pourquoi ?

– Elle avait dû passer toute la nuit sur ce lit, puisqu'elle était attachée. Ils ne l'ont trouvée que le lendemain matin. On m'a dit que je ne faisais plus l'affaire comme prof.

Il y eut un moment de silence.

– Il n'y a rien d'autre, dans cette histoire, Håkan ?

– Quoi ?

– Quelque chose d'autre qui t'est revenu à l'esprit quand elle s'est moquée de toi ?

– Je revois sa face de pute, qui me supplie...

– Rien d'autre ? insista Havemark, légèrement penché en avant comme pour donner plus de poids à sa question.

– Qu'est-ce que ça pourrait être ?

– Essaie de réfléchir.

– Je ne peux pas.

Il se replia de nouveau sur lui-même et le silence s'établit une fois de plus entre eux. Havemark se rejeta en arrière et lâcha son patient du regard comme pour le laisser un peu en paix. Au bout d'un moment, il lui demanda :

– Ça va, Håkan ? Comment te sens-tu ?

– Stérile...

– Stérile ? Comment ça, qu'est-ce que tu veux dire ?

– Comme une île déserte sur laquelle il ne pousse rien. Y a rien que de la pierre. Il fait très froid.

Havemark le regarda avec chaleur. Quand il parvenait à faire sortir Håkan de sa coquille, il en résultait en général un dialogue fructueux et l'analyse onirique à laquelle ils se livraient s'était toujours révélée intéressante, d'après lui. Jadis, du moins.

– Tu as rêvé de quelque chose, ces derniers temps ?

Håkan réfléchit longuement.

– Hier, j'en ai refait un que j'ai eu pendant très longtemps. Je vois un arbre, un très grand arbre dont j'ignore l'espèce. Certaines de ses branches poussent normalement mais d'autres vers le bas, dans le sol. Moi, je suis assis sur une de celles-là, sous terre, quoi. Au loin, je vois une maison éclairée. Et, sur le balcon, mon père qui me fait signe de la main en pleurant.

– Pourquoi pleure-t-il ?

– Parce qu'il va mourir, me dit-il. Mais il ne faut pas que je m'inquiète. Et, là-dessus, je me réveille.

Havemark observa pensivement son patient, puis laissa encore une fois le silence s'établir dans la pièce. Au bout d'un moment, il reprit :

– Ce sentiment d'île déserte, Håkan, je ne le reconnais pas. Depuis combien de temps l'as-tu ?

Il fixa le docteur dans les yeux puis détourna le regard vers la fenêtre.

– Depuis toujours. Aussi loin que je me souvienne.

Solhaga ? C'était peut-être la dernière solution. Il sentait qu'il avait la nostalgie de son père. Plus que jamais auparavant.

Il en avait maintenant terminé avec la cuisine et venait de se mettre à épousseter les livres de la salle de séjour lorsque le téléphone sonna.

– Håkan ?

– Oui…

– C'est Kerstin, au bureau.

– Ah oui… Salut.

– Tu es en congé de maladie, une nouvelle fois ?

– Oui.

– Je ne t'appelle pas pour procéder à un contrôle, ne va pas croire ça. Seulement, on est dans un sacré pétrin, ce week-end. On a plusieurs malades, Pelle est en vacances, Suleman s'est blessé au pied, alors je me demandais si tu ne pourrais pas nous dépanner…

– Mais j'ai déjà déposé la feuille de maladie à la caisse d'assurances.

– Je sais mais, si on faisait… enfin, tu vois. Quinze cents pour vendredi et autant pour samedi. Trois mille de la main à la main. Qu'est-ce que t'en dis ?

Trois mille au noir. De quoi se payer un voyage, pas très loin, mais quand même. Et oublier toute cette merde.

– D'accord.

– Super, Håkan, je savais que je pouvais compter sur toi. On se voit vendredi. Salut.

Ce sera la dernière fois. Après ce congé, je donnerai ma démission, décida-t-il.

11 février

Le vendredi soir avait été relativement calme, en dépit du millier de personnes réunies dans ce local qui avait servi non seulement d'abattoir, mais aussi de halle aux légumes. Avec son théâtre, ses restaurants, et ses différentes boîtes de nuit – House, Hip-hop, Années 60, Années 80, en vertu du principe : nul n'échappe à sa génération –, ce gigantesque complexe qui donnait à Covent Garden un petit air de salle de bal à l'ancienne était l'exemple parfait de la façon dont l'industrie du divertissement avait pris le tournant de la modernité, avec ses avantages et ses inconvénients. Celui qui avait le goût de l'intimité n'avait rien à faire là, tandis que ceux qui adoraient se frotter physiquement les uns aux autres y voyaient un eldorado.

Monica s'était parfumée abondamment et se mouvait avec aisance dans ces espaces, répandant sa fragrance partout où elle passait. De temps en temps, Hjalle et elle se retrouvaient dans la salle des années 60 pour prendre une bière mais, jusque-là, elle n'avait rien à signaler, pas plus que lui. Hjalle souhaitait surtout analyser son comportement de la veille. La façon dont il s'était effondré, dans ce club, le préoccupait plus, en fait, que la traque du meurtrier de Yasmina et d'Anna. Le vacarme de la musique et la danse, autour de lui, le renforçaient non seulement dans la conviction qu'il était proche d'un tournant décisif dans sa vie, mais aussi dans le sentiment de son âge. Il était vieux, irrémédiablement vieux. L'espace était subdivisé en autant de lieux marqués de façon indélébile par une époque et il avait beau faire tout son possible, il était incapable de rester plus de quelques minutes dans la partie House ou Hip-hop. C'était dans les Années 60 qu'il se sentait le plus à l'aise et il avait l'impression d'être sur la terre ferme en entendant *Even the bad times are good* ou *I can't let go*.

Ils restèrent jusqu'à cinq heures du matin et terminèrent la soirée avec une saucisse hongroise, avant de se séparer. Sans évoquer d'un seul mot ce qui s'était passé la veille.

12 février

Le samedi soir, Hjalle décida de s'entretenir un peu avec les vigiles, ce qui ne fut pas chose facile. Ils étaient sous la pression constante de gens qui voulaient entrer, hommes d'âge mûr en état d'ébriété estimant qu'ils avaient le droit de passer avant les autres, jeunes immigrés agressifs à la démarche arrogante et chaloupée faisant les malins dans l'espoir qu'on les laisserait entrer et filles outrageusement maquillées jouant les vamps. C'est au milieu de ce chaos que Hjalle tenta d'échanger quelques mots avec Robban, le chef du service de sécurité, colosse dans la trentaine à la nuque rasée qui le fit penser à un capitaine s'apprêtant à affronter la tempête sur le pont de son transatlantique.

Robban ôta ses écouteurs et le regarda :

– Qu'est-ce que vous dites ?

– Vous vous souvenez de la nuit où Yasmina a été assassinée ?

– Oui…

– L'un d'entre vous a déclaré avoir vu ses cousins, ici, dans une voiture rouge, n'est-ce pas ? Il me semble qu'on a recueilli un témoignage en ce sens, vous vous rappelez ?

– Vaguement, oui. Vous restez toute la soirée ?

– Oui, je suis aux Années 60, au cas où…

– Si ça me revient, j'irai vous trouver.

– Quand vous voudrez.

– D'accord.

L'instant d'après, Hjalle avait disparu. En se retournant, Robban vit Håkan, sur le pas de la porte, repousser deux jeunes gens sans trop de ménagements. À ce moment, il se remémora que c'était lui, Håkan, qui avait témoigné en ce sens, mais plus aucune trace de Hjalle nulle part, dans cette meute. Il hésita un instant à se rendre immédiatement aux Années 60 mais, au bout de quelques minutes, il avait déjà tout oublié.

À son retour, Hjalle trouva Monica au bar.

– Alors ?

– Rien. Et toi ?

– Je ne sais pas. J'ai vaguement le sentiment qu'on m'observe.

Ça t'étonne, Monica ? Tu es belle, tu sais. Un jour, je te le dirai. Pas maintenant. Mais bientôt.

– Ah bon…

– Y a quelque chose.

– Y a surtout que tu répands un sacré parfum autour de toi. Tu t'en rends compte ?

– Je ne crois pas que ce soit ça.

– Où était-ce ?

– À l'entrée, légèrement à l'intérieur. J'ai vraiment eu l'impression qu'on m'épiait. Pas vraiment du regard, parce que je n'en ai pas croisé, mais d'une autre façon.

– Tu veux qu'on aille voir à la porte ?

– Je t'appelle sur le portable, si je trouve quelque chose. Et d'ailleurs, je ne me sens pas très bien.

– Qu'est-ce que tu as ?

– Je crois que j'ai mangé quelque chose qui ne passe pas.

– Un fallafel, peut-être, suggéra malicieusement Hjalle.

– En fait, oui. Comment as-tu deviné ?

– Question de flair, répondit-il avec un sourire.

L'instant d'après, ils étaient à nouveau séparés.

Il resta assis là où il était, sous l'emprise de la musique. Ces morceaux de choix de jadis, ajoutés à une chope de bière, l'empêchaient de bouger : la voix rauque et insolente de Ronnie Lane dans *Itchycoo Park*, les frères Gibb chantant *Massachusetts* de leur voix de fausset, suivis de Joe South dans *Games people play*. Que demander de plus, depuis l'époque où *Out of time*, par Chris Farlowe, avait cessé de retentir dans les haut-parleurs ?

Rien, selon lui.

Le malaise de Monica ne cessait de s'aggraver et l'indisposition alimentaire qu'elle soupçonnait ne risquait guère d'être atténuée par l'entêtant parfum qu'elle dégageait et qui aurait suffi à l'assommer. À trois heures moins le quart, elle fendit la foule vers la sortie. La fraîcheur de l'air la revigora quelque peu, mais seulement de façon passagère. Elle sentit son estomac se tordre, fit le tour des environs des yeux et repéra un vieil entrepôt en briques, de l'autre côté de Jörgen Kocksgatan.

Elle traversa la rue et passa aussitôt derrière le bâtiment. Là, elle prit appui sur le quai de déchargement et vomit ce qu'elle avait dans l'estomac avec tant de violence qu'elle eut mal dans tout l'abdomen. Pour se vider entièrement, elle dut s'agenouiller. En se relevant, elle sentit deux bras puissants l'immobiliser. Le piège avait fonctionné. Ou, plus exactement, il était venu s'y prendre de lui-même. Il la plaqua violemment sur le sol, face contre terre. Elle s'efforça de garder son calme et de réfléchir, mais elle l'entendit haleter et lui déchirer son pantalon. Puis elle sentit le contact du sol glacial contre sa cuisse. Alors, Monica, et ta ceinture marron de karatéka ? Elle se détendit et tenta de le bercer dans l'illusion qu'elle avait peur et se sentait impuissante. Comme jadis. Nouvelle édition. C'était pour cette raison qu'elle avait choisi ce métier, elle le savait. Une fois. Mais pas deux. D'un violent coup de coude dans le ventre, elle lui coupa la respiration l'espace d'une seconde. Ce fut assez pour lui permettre de se libérer mais, quand elle voulut courir, son pantalon déchiré l'entrava et l'empêcha d'asséner les coups de pied de karaté qu'elle connaissait. Et, très vite, il fut à nouveau sur elle.

– Qu'est-ce que tu crois, sale petite chinetoque ?

Il lui asséna un violent coup à la face qui la terrassa. Le noir se fit aussitôt et elle ne distingua même plus son visage. Elle sentit le contact de son sexe contre le sien, tandis que, d'une main, il la bâillonnait et, de l'autre, il s'efforçait de lui serrer le cou. Au prix d'un effort surhumain, elle parvint à lui mordre le petit doigt suffisamment fort pour avoir l'impression qu'il se brisait sous ses dents, et il lui vint un goût de sang dans la bouche. Une nouvelle fois, il fut pris par surprise et la lâcha. Elle se dégagea à nouveau et s'éloigna aussi vite qu'elle le pouvait, cette fois à quatre pattes. Mais dans le mauvais sens car, devant elle, il n'y avait qu'une eau glacée et sombre. Et, derrière elle, il revenait à la charge.

– T'es déjà morte, espèce de petite conne.

Au même moment, on entendit un poids lourd tourner au coin du bâtiment. Un faisceau de lumière balaya celui-ci tandis qu'elle sentait une chaussure la frapper à la joue. Puis un violent coup de pied la propulsa dans le bassin du port, par-dessus le bord du quai.

Hjalle regarda sa montre. Il était cinq heures moins le quart. Cela faisait près de deux heures qu'il était dans les Années 60. À chaque refrain que jouait l'orchestre, il revivait un moment de son existence passée. Il finit pourtant par sortir de ce rêve musical éveillé et regarda autour de lui. Les gens commençaient à s'en aller. Quelques couples se trémoussaient encore sur la piste de danse mais, dans l'ensemble, la soirée tirait à sa fin. Monica, se dit-il soudain. Où est-elle ? Il sortit son portable de sa poche et constata qu'il n'avait aucun message, personne ne l'avait appelé. Il gagna le foyer, qu'il fouilla en vain des yeux, avant de faire le tour de toutes les salles puis de revenir à l'entrée. Près du vestiaire, il vit Robban et quelques autres agents de sécurité.

– Inspecteur !

– Oui ?

– C'était Philo.

– Qui ça ?

– Philo, comme Philosophe, c'est comme ça qu'on l'appelle. Håkan de son prénom. C'est lui qui a vu ce que vous me demandiez. Dommage, il vient de partir.

– Ah bon, répondit Hjalle, absent.

Il était inquiet. Il avait convenu avec Monica qu'ils iraient faire un tour chez Stippe, le bar à saucisses, avant de se séparer. De plus, c'était elle qui avait les clés de la voiture. Et son vêtement était toujours au vestiaire.

– Vous n'auriez pas vu ma collègue, l'Asiatique ?

Robban secoua la tête avant de poser la question aux autres vigiles. Il s'avéra que l'un d'entre eux l'avait aperçue.

– Elle avait pas l'air dans son assiette. Je l'ai vue sortir mais pas revenir.

– À quelle heure est-elle passée ?

– Vers trois heures.

Le renseignement n'était pas pour calmer son inquiétude. Il fit de nouveau le tour de tous les coins et recoins du local, allant jusqu'à inspecter les toilettes. À cinq heures et quart, il demanda des renforts au PC et, à cinq heures et demie, les recherches étaient en cours.

À six heures, l'un des hommes venus en renfort l'appela depuis le quai de déchargement du vieil entrepôt. Il s'y précipita et trouva Monica sur le sol. Son petit corps était dans la position du fœtus et paraissait inanimé. Elle était trempée et glacée, et seulement vêtue de sa petite culotte et d'un T-shirt. Au-dessus de l'un de ses yeux s'étalait une grosse bosse d'où s'écoulait du sang.

13 février

Il la veilla pendant toute la matinée et ne quitta la chambre qu'à de rares moments. Son état était stable. Elle était assez mal en point, mais ses jours n'étaient pas en danger et elle ne devrait pas garder de séquelles durables, avait déclaré le docteur, très sûr de lui, ce qui l'avait beaucoup rassuré. Pourtant, il n'avait pas quitté le chevet de sa collègue frigorifiée et, quand l'infirmière n'était pas présente, il lui tenait la main comme pour la réchauffer. De temps en temps, il lui caressait les cheveux.

Vers onze heures, elle se réveilla. Elle le regarda, surprise, l'air de ne pas savoir ce qu'elle faisait là.

– Du calme, Monica, tu as dû basculer...

Cela lui revint alors. Le coup de pied. La chaussure, la chute dans l'eau. Ce sentiment de froid glacial qui paralysait son instinct de conservation et la panique qui s'était emparée d'elle en s'apercevant qu'elle ne trouvait pas l'échelle pour remonter sur le quai. Ses appels au secours se faisaient de plus en plus faibles, au fur et à mesure que ses membres s'engourdissaient et, soudain, elle avait éprouvé la tentation non exempte de jouissance de se laisser couler et ainsi d'échapper à tout cela. Puis, au moment où le noir se faisait à nouveau, sa main avait rencontré le barreau rouillé et elle avait accompli le prodige de hisser son corps ruisselant le long de l'échelle, pas à pas. Puis plus rien.

Du coin de la bouche, elle esquissa un timide sourire.

– Qu'est-ce que je fais là ?

– Ne t'inquiète pas, tout est en ordre. On t'a trouvée près du vieil entrepôt, de l'autre côté de la rue, en face de Slagthuset. Qu'est-ce qui s'est passé ? Tu te rappelles ?

Son sourire s'évanouit.

– Qui était-ce ?

Elle faisait manifestement de gros efforts de mémoire.

– Aucune idée. Une sorte de grand fauve, qui m'a traitée de sale chinetoque, ça je m'en souviens.

– Comment était-il ?

Elle eut l'air d'avoir honte de ne pas savoir quoi répondre à cette question.

– Aucune idée. Je suis navrée. Il faisait nuit et ça s'est passé tellement vite. C'est affreux. Je venais de vomir...

Il la regarda et sentit sa poitrine déborder de tendresse et de désir de la prendre par la main. Mais, au lieu de faire ce qu'il désirait le plus, s'allonger près d'elle et la serrer dans ses bras, il entendit sa voix se muer en celle de l'inspecteur de police qu'il était lors des interrogatoires.

– Pas le moindre détail ? Essaie de te souvenir. Je comprends que ça fait mal, Monica, mais...

Elle le regarda fixement comme si elle se servait de ses yeux pour explorer le tréfonds de sa mémoire.

– Je me souviens que j'ai eu le temps de me dire qu'il n'avait pas l'accent scanien, répondit-elle pensivement, en donnant l'impression qu'elle allait ajouter autre chose. Ah oui, ça y est : je lui ai mordu le doigt. Il m'a semblé que quelque chose se brisait. C'est ce qui m'a sauvée. J'ai senti du sang dans ma bouche. Il s'apprêtait à m'étrangler quand j'ai réussi à serrer l'un de ses doigts entre mes dents...

– Très bien, Monica, c'est un indice qui peut nous être utile.

14 février

Le matin, on entendit le personnel de Slagthuset, tandis que la Scientifique passait le lieu de l'agression au peigne fin. Impossible de trouver le moindre indice susceptible de s'ajouter à cette main censée porter les traces d'un coup de dents. Robban et ses collègues n'avaient rien remarqué de particulier, pas plus que quiconque d'autre parmi les employés.

Hjalle eut de nouveau le sentiment que l'enquête s'enlisait et, sur le coup de onze heures, il partit, non sans un sentiment de déception.

À onze heures et demie, il était de retour dans son bureau, en train de mâchonner un morceau de baguette, lorsque le téléphone sonna.

– C'est Monica. Comment ça va ?

– C'est toi qui me demandes ça ? Ce serait plutôt à moi de te poser la question.

– Mieux. Je suis rentrée chez moi, mais on m'a prescrit le repos et mise en congé de maladie pour deux semaines. Pourtant...

– Quoi ?

– S'il y a du nouveau, il faut que tu m'appelles. Promets-moi. Mon portable est allumé en permanence... Mais ne le dis pas à Jönsson.

– Promis.

À une heure de l'après-midi, après avoir fait le point sur l'affaire sous la conduite du commissaire, il était de retour dans son bureau. Nouvel appel téléphonique.

– Salut, ici Agneta, du vingtième.

– Le vingtième ?

– Le vingtième étage du Sheraton. La salle de gym, vous savez.

– Ah oui...

– C'est peut-être sans importance, je ne sais pas, mais j'ai pensé à une chose, quand vous êtes venu relever les noms, dans le fichier, vous vous souvenez...

219

– Oui.

– Un de nos habitués est venu le même jour que vous, je crois, et… j'ai eu l'impression, ensuite, qu'il n'avait fait que reprendre sa carte.

– Comment s'appelle-t-il ?

– Ah, la mémoire… Tout ce que je peux vous dire, c'est son prénom : Håkan. Je crois qu'il y a un *i* dans son nom, aussi.

– Merci. Si ça vous revient, appelez-nous.

Håkan. Cela lui rappelait quelque chose, en effct. Il n'eut pas à se creuser la tête très longtemps. À deux heures moins le quart, Robban, le vigile en chef de Slagthuset, l'appela.

– J'ai repensé à une chose. Ça ne m'a pas traversé l'esprit quand vous êtes venu, hier, j'étais trop occupé avec la clientèle. Bon, c'est peut-être le fait de mon imagination, mais on a un type, parmi nous, qui m'a paru se comporter de façon bizarre, samedi soir. Un petit truc sans importance, sans doute, mais…

– Quoi donc ?

– Philo. Quand il est revenu de sa pause, il portait des gants. Il n'en avait pas besoin, parce qu'il était en faction à l'intérieur, et puis il n'en avait pas plus tôt dans la soirée, même pas quand il était à l'extérieur.

– Philo ?

– Celui dont je vous ai parlé. Vachement intelligent. Doux comme un agneau et fort comme un Turc.

– Comment s'appelle-t-il de son vrai nom ?

– Håkan.

– Et son nom de famille ?

– Söder.

– Vous savez où il habite ?

– Dans le quartier de Lugnet, je crois.

– Merci beaucoup, Robban.

– Pas de quoi.

Oh si ! se dit Hjalle en regardant sa montre. Il était deux heures moins cinq. Au quart il était en route vers le numéro 65 de Lugna Gatan, accompagné de deux patrouilles et d'un serrurier. En même temps, un avis de recherche au nom de Håkan Söder et de sa voiture, une Ford Scorpio rouge immatriculée YAS 301, était adressé à tous les postes de police de Scanie.

Quand ils arrivèrent, Monica Gren était sur les lieux. Au moyen d'un béret basque noir, elle faisait son possible pour dissimuler le gros pansement qu'elle portait autour de la tête.

13 h 46

Venez m'arrêter. Je n'en peux plus. Je ne veux plus. Allez, venez, pensa-t-il en sentant la lutte qui se déroulait en lui. Une fois de plus, il se dirigea vers le téléphone. Comme après Anna.

Il resta un instant le combiné à la main, puis raccrocha et alla se poster à la fenêtre, comme s'il attendait quelqu'un. Sa douleur au doigt était lancinante. Le téléphone sonna, au loin, eut-il l'impression. Le répondeur se mit en marche. Puis une voix se fit entendre, celle de Havemark.

– Håkan ? Aurais-tu oublié que tu as rendez-vous, aujourd'hui ? Le lundi, mercredi et vendredi à une heure. Sois gentil de me donner de tes nouvelles. J'espère que tu vas bien. Au fait, l'autographe, tu te souviens, celui de Sartre. Tu le veux, oui ou non ?

Havemark. Il revit son visage. N'oublie pas, la prochaine fois. Fais marcher un peu ta cervelle, se dit-il en se mettant à laver l'unique assiette dans l'évier. Quand il eut fini, il essuya la table et vérifia que la machine à café était éteinte. Puis il enfila ses chaussures et son manteau. Au moment où il s'apprêtait à sortir, le téléphone sonna de nouveau.

– Håkan ? Tu es là ? Si oui, réponds. Je suis très inquiète. Havemark m'a appelée. Aurais-tu oublié ton rendez-vous d'aujourd'hui ? Håkan…

Il effaça la voix de sa mère de la bande, referma la porte et descendit l'escalier. Une fois dans la rue, il vérifia que le coffre de sa voiture était fermé à clé, avant de prendre le volant et d'enfiler Föreningsgatan en direction de Värnhem. À la hauteur du cimetière juif, il tourna à droite dans Industrigatan, puis dans S:t Knuts väg.

Une pute séropositive ? Pourquoi pas ?

Une femme transie de froid, en minijupe rouge et veste de cuir noir arpentait le trottoir, devant le fleuriste, en roulant des hanches. Il ralentit et baissa la vitre. Elle se pencha vers lui.

– Combien tu prends ?

– Cinq cents.

– Pour quoi ?

– Une pipe pour commencer et après tu pourras me baiser.

– Tu sais quoi ?

– Non.

– Les putes comme toi, ça devrait pas avoir le droit de vivre. J'espère que tu crèveras du sida, salope. T'es qu'une chatte sur pattes. Tout ce que tu sais faire, c'est baiser, hein ? Tu pourrais pas trouver un boulot honnête à la place, hein, espèce de sidaïque ?

Elle le dévisagea, effrayée, et recula. Il lui fit un doigt d'honneur avant d'embrayer et d'accélérer.

N'importe qui. Je peux choisir n'importe qui.

Il sortit son couteau de la boîte à gants et le posa sur le siège avant droit.

N'importe quelle pute. Avec ou sans le sida. Avec ou sans couteau.

Au fronton du lycée, il lut la devise « La peur du Seigneur est le début de la sagesse » et cela le fit penser à Yasmina.

Non, les lycéennes, ça suffit comme ça, Håkan.

Il franchit le canal. Où va-t-on dormir cette nuit ? entendit-il quelqu'un lui demander, tandis qu'il enfilait Östergatan et descendait la rampe du parking Malmborg, près de l'église allemande.

Une pute de quartier. Une honnête femme et maîtresse de maison qui fait la pute. C'est vrai, ça, où va-t-on dormir cette nuit ?

Un moment plus tard, il montait vers le magasin, sur le tapis roulant. Il regarda sa montre et éteignit son portable.

14h24

Après avoir sonné trois fois sans l'ombre d'une réaction, de l'autre côté de la porte, ils purent pénétrer dans l'appartement grâce au serrurier. Hjalle et Monica tirèrent chacun leur arme de service, pour parer à toute éventualité, mais ils constatèrent très vite que l'endroit était désert.

– L'ordre règne, lâcha-t-il, laconique.

Tout était d'une propreté étincelante, en effet, dans la cuisine, et, dans la salle de séjour aussi bien que dans la chambre à coucher, le ménage avait été fait de façon impeccable. S'il n'y avait eu les meubles et les vêtements, on aurait eu du mal à croire que quelqu'un vivait là. Sur l'étagère de la première pièce étaient rangées une vingtaine de livres de philosophie, ainsi qu'une dizaine de cassettes, toutes pornographiques. Sur la télévision était posée la photo d'un garçon et d'un homme d'un certain âge, debout sur une terrasse couverte. Le soleil brillait et derrière eux on apercevait un grand jardin et une énorme souche qui gisait sur la pelouse. Hjalle fut frappé de la ressemblance entre les deux personnes. La seule différence était que l'un de ces visages était celui d'un garçon de dix ans, l'autre celui d'un adulte.

– Regarde, Hjalle.

Il quitta la photo du regard et le braqua vers sa collègue.

– Le foulard de Yasmina.

Monica tenait dans ses mains le foulard bicolore et en humait le parfum.

– On te tient, Håkan Söder, marmonna Hjalle en sortant sur le balcon et faisant signe à sa collègue.

– Tu vois ? lui demanda-t-il.

– Quoi ?

Il désigna de la main le Sheraton.

– De là, il a pu nous apercevoir. La chambre 107 se trouve là, sur le côté. Il a croisé Anna Hagberg dans l'ascenseur ou ailleurs, peut-être en sortant de la salle de gym, l'a suivie jusqu'à sa chambre, l'a violée, puis il est redescendu avec son sac de sport, a quitté l'hôtel et est revenu ici. Le tout en l'espace de quelques minutes, sans doute pas plus. Et sûrement sous le coup d'une impulsion. C'était bien ton hypothèse, n'est-ce pas ?

– Peut-être.

Ils revinrent dans l'appartement.

– Qu'est-ce qu'on fait ?

– Rien. On se contente d'attendre. On gare les voitures à un endroit où elles seront un peu moins repérables et on poste un homme dans l'escalier, sur le palier du dessus.

– Et toi et moi ?

– On referme la porte à clé et on attend ici.

Il remplit son panier de ce qui lui tombait sous la main, sans choisir le moins du monde. Oranges. Harengs. Caviar. Puis il regarda autour de lui. Soudain, il se retrouva de nouveau au rayon des fruits et légumes. Une femme dans la trentaine en jean et chandail de laine attira son attention. Elle allait d'un article à l'autre, l'air de savoir ce qu'elle voulait.

Tu vas te les fourrer dans la chatte, les concombres ? Ou peut-être dans le cul ? Je vais t'apprendre, moi, espèce de sale pute en chandail.

Il se mit à la suivre à distance, en se parlant à lui-même à voix basse, comme si la pression intérieure était si forte qu'il ne pouvait l'empêcher de filtrer de son corps. L'une des employées le regarda.

Petite pute de mes deux. Va te faire mettre un gode par ta copine, si t'as peur d'une vraie bite.

Près des vitrines réfrigérées, elle se retourna vivement et le regarda droit dans les yeux.

– Qu'est-ce que vous voulez, espèce de cochon ?

Il pivota sur ses talons, sous le coup de la surprise, et fit semblant de n'avoir rien entendu. Pour la troisième fois, il revint au rayon des fruits et légumes, remit les oranges et prit un citron à la place. Puis il retourna lentement vers les vitrines réfrigérées, comme s'il avait peur. Près de la caisse, au fond du magasin, il vit la femme au chandail.

T'as pas honte, la pute ? J'espère que tu vas l'enfoncer de travers, le concombre, et mourir de constipation.

– C'est affreux, marmonna-t-il. Espèce de cochon ? Comment ça : cochon ? Qu'est-ce que j'ai fait ? On a le droit de penser ce qu'on veut, non ?

Au rayon du poisson, une femme s'était arrêtée avec un chariot plein de lait et d'aliments pour enfant. Son manteau vert mettait en évidence son gros ventre.

Celle-là, elle a le ballon.

La voix, cette affreuse voix en lui, était de plus en plus forte.

Des tacos. Tu vas quand même pas bouffer des tacos, espèce de grosse loche.

Il se plaça près d'elle et prit un paquet de tortillas. Elle lui adressa un sourire et déplaça son chariot pour ne pas le gêner.

Tu peux sourire. C'est la seule chose que vous savez faire. Sourire, baiser et faire des mômes.

Cinq minutes plus tard, elle avait pris place dans la queue près des caisses. Il fit semblant de lire le journal du soir et vit que quelqu'un avait reçu un doigt sectionné que lui avait envoyé un kidnappeur. La femme tombée dans le port allait mieux, mais l'agresseur courait toujours car la police ne disposait d'aucun signalement. Elle croyait seulement savoir que l'homme avait été blessé au doigt au cours de sa tentative.

Sourire, baiser et mordre, je voulais dire, en fait, pensa-t-il en payant.

Du coin de l'œil, il la vit prendre le tapis roulant pour descendre au parking.

14 h 44

– Je suis inquiète, Bengt. Il ne répond pas. Je l'ai appelé plusieurs fois. Sur son portable aussi.

– Calme-toi, il ne lui est sûrement rien arrivé. Je suppose qu'il a oublié son rendez-vous, tout simplement. Avant, c'était seulement le mercredi et le vendredi. Le lundi, c'est nouveau pour lui, n'est-ce pas ?

– Oui, mais…

– Mais quoi ?

– Je ne sais pas pourquoi, mais j'ai peur. Affreusement peur. Peur qu'il… lui arrive du mal ou quelque chose comme ça.

– Tu l'as vu, ce week-end ?

– Il m'a dit qu'il travaillait.

– Il est pourtant en congé de maladie.

– Oui, je sais. Mais on dirait qu'ils l'ont convaincu de venir malgré tout.

– Il a donc travaillé ce week-end, selon toi ?

– Oui, c'est ce que je pense, en tout cas.

– À Slagthuset, si c'est bien le nom de cet endroit ?

– Oui, ça fait plusieurs années qu'il y est employé. On dirait qu'il est incapable de s'en détacher. On y est libre, selon lui. Libre ? Passer des heures entières là-bas, c'est la liberté, ça ?

– Est-ce qu'il ne s'y est pas produit un incident, ce week-end ?

– Je ne sais pas.

– Je crois avoir lu quelque chose dans le journal à ce sujet. Une agression.

– C'est pareil tous les week-ends. Il m'a beaucoup parlé de ça. D'une certaine façon, je comprends qu'il éprouve un tel besoin d'exercice. Rester des heures debout dans le froid, à la porte, à se faire insulter par n'importe qui.

– C'est une femme, je crois, qui a été attaquée.

– Je lui ai parlé dimanche soir. Il m'a dit qu'il avait appris ça. Je ne sais plus à quel saint me vouer, Bengt. Mon petit Håkan-la-cabane.

– Tu ne veux pas venir ici, Britt-Marie ? Tu es toujours la bienvenue, tu sais.

– Je verrai. Je t'appellerai, dans ce cas-là.

15h08

– Tiens, voilà du lait. Bois donc, puisque t'as un polichinelle dans le tiroir.

Elle était ligotée sur une chaise en bois, la peur inscrite dans les yeux. Ses mains étaient attachées dans son dos, mais ses pieds étaient libres. Il lui avait enfoncé la moitié d'une couche dans la bouche et l'avait bâillonnée. Et il se tenait maintenant devant elle, une brique de lait à la main. Il l'ouvrit avec un sourire maladif en se grattant l'entrejambe sans se gêner le moins du monde. Puis il lui versa le lait sur la tête et les cheveux, et celui-ci se mit à couler sur son visage, son T-shirt et son pantalon.

Il se pencha pour respirer l'odeur.

– Tu sens la bête, tu sais. Je ne veux pas que mes femmes sentent aussi mauvais.

Mon portable, pensa-t-elle. Mon Dieu, laisse-moi une chance. Pour Ingvar et pour notre enfant. Je t'en supplie, mon Dieu, laisse-moi une chance !

Elle savait qu'elle était dans l'un des jardins ouvriers d'Ärthol-men. Ses grands-parents maternels avaient disposé de l'un d'eux, pas très loin de celui dans lequel ce fou s'était introduit.

Si seulement je pouvais crier.

Elle était au milieu de la ville et pourtant loin de ses sem-blables. L'endroit était désert, quand ils étaient arrivés en voiture. Elle s'était un peu calmée, comme si elle avait accepté l'idée qu'elle allait mourir. Mais elle était encore en mesure de bouger et avait aperçu, dans le coin-cuisine, des couteaux et fourchettes. Elle avait aussi noté une ouverture pour chien, dans le mur der-rière elle. Elle était assez grande pour elle, mais pas pour la chaise.

Soudain, quelque chose de bizarre passa dans son regard.

– Je veux qu'elles sentent autrement.

Il lui versa le reste du lait sur la tête.

– T'es bien, là, hein ? Je reviens dans un instant. Si tu tentes quelque chose, tu es morte. Une pute morte avec un bébé pute dans le ventre. T'es prévenue.

Il sortit de la cabane en fermant soigneusement à clé derrière lui et, peu après, elle entendit la voiture – la Saab qu'Ingvar et elle venaient d'acheter – s'éloigner. Elle se mit à déplacer lentement la chaise vers le coin-cuisine. Après ce qui lui parut une éternité, elle parvint près du mur, à l'endroit où étaient accrochés les couteaux. La couche était toujours profondément enfoncée dans sa bouche. Elle tenta de se mettre debout, mais retomba chaque fois sur la chaise. En effet, il avait ligoté ses mains non seulement entre elles mais également à la chaise. Elle s'affaissa, prête à se résigner. Soudain, elle sentit le fœtus lui donner des coups de pied dans le ventre. Il était réveillé ! Il lui parlait ! Le petit ! Alors, pour toi, mon chéri ! Elle eut aussitôt l'impression d'être pleine d'énergie comme jamais auparavant et se mit à regarder de nouveau autour d'elle. C'est ainsi qu'elle finit par découvrir que le devant du four était resté ouvert. Il lui fallut une éternité, encore une fois, pour traverser la pièce. Une seule petite chance, mon Dieu, et je croirai en toi pour le restant de mes jours. Elle finit par réussir à se placer dans une position telle que la partie de la corde l'attachant à la chaise soit directement en contact avec le devant du four. Dix minutes plus tard, elle était parvenue à se libérer de la chaise à force de frotter la corde contre le métal. Mais ses mains étaient toujours ligotées entre elles. Soudain, elle entendit un bruit de voiture. Elle s'allongea sur le sol et parvint à se glisser à l'extérieur par le trou du chien. Le bruit approchait et elle s'élança vers la clôture en trébuchant. C'était bien la Saab, elle reconnaissait le bruit du moteur. Elle prit appui sur la clôture, bascula le haut du corps par-dessus et tomba la tête la première sur une plate-bande, chez le voisin. La voiture freina et, à l'instant précis où la portière s'ouvrait, elle parvint à se glisser derrière le tas de bois.

Håkan Söder ouvrit la porte de la cabane.

15 h 27

Ils étaient assis sur le canapé, lorsque le portable de Monica sonna. Elle eut d'abord du mal à comprendre qui l'appelait.

– Bitique parfume. Tu souviens ?

– Quoi ?

– Bitique parfume. Toi police venir là.

– Ah oui, je me rappelle. C'est vous qui vendez Eterica, dans Rörsjögatan, n'est-ce pas ?

– C'est ça. Venu homme bizarre. Moi promis appeler vous. Vous dire appeler si chose arrivait bizarre.

– Quand cela ?

– Maintenant. Minutes, cinq peut-être, passées.

– Comment est-il ?

– Grand et fort. En colère et vilains mots. Bizarre. Payer très vite parce que pressé.

– Comment ça ?

– Parfum coûter trois cent vingt. Lui donner vite cinq cents et partir dans voiture.

– Avez-vous eu le temps de la voir ?

– Oui. Saab noire.

– Son numéro ?

– Bépéelle numro cette cinq de.

– BPL 752, c'est ça ?

– Absolément.

– Merci. Nous vous rappellerons.

Elle se tourna vers Hjalle, qui avait déjà compris de quoi il s'agissait et, quelques minutes plus tard, les recherches concernant la Saab noire d'Ingvar et Josefin Hedblom étaient lancées.

15 h 45

Elle resta absolument immobile, retenant son souffle. Il jurait et cassait tout dans la cabane. Soudain, elle entendit ses pas se diriger vers la clôture et s'approcher d'elle. De nouveau, le bébé lui donna des coups de pied dans le ventre. Elle pensa à son portable, dans sa poche. Mon Dieu, pourvu que la sonnerie ne retentisse pas. Pourvu que personne ne m'appelle. Elle était en nage et le goût de terre qu'elle avait dans la bouche la fit penser à la mort, de nouveau. Elle avait l'impression d'entendre sa respiration, ce qui signifiait pour elle l'imminence d'un enterrement.

– Reviens, espèce de sale pute ! Je vais vous rouler dans la vaseline, toi et ton moutard ! Avant que tu le mettes au monde, je veux pas qu'il naisse des gosses, c'est interdit. Tu m'entends ? Tu m'échapperas pas. Je sais que t'es là, quelque part, criait-il, mais il y avait dans sa voix une tonalité qui n'était plus aussi haineuse qu'avant, quelque chose de triste et de désespéré, selon elle.

Le silence se fit. Puis elle l'entendit s'effondrer. Il ne criait plus. On aurait plutôt dit qu'il se parlait à lui-même ou dans le vide.

– Reviens ! Sois gentille !

Elle n'avait jamais perçu un désespoir aussi insondable.

– Je t'en prie. Viens à mon secours. Y a vraiment personne qui puisse m'aider ? Pardon. Pardon. PARDON !

Il semblait être toujours sur le sol, en train de pleurer doucement, le corps secoué de sanglots. Elle trouva alors qu'il ressemblait à un petit garçon et elle eut un instant le réflexe de sortir de sa cachette pour aller le consoler, mais se ravisa aussitôt.

Puis il y eut d'autres bruits, comme s'il se mettait debout. Une brindille brisée, des feuilles froissées, des pas qui s'éloignaient, quelque chose qui raclait, une porte qui se fermait. Des pas sur l'allée de gravier et une portière qui claquait. Au moment où la voiture démarrait, son portable se mit à sonner.

En entendant ce son familier, elle s'évanouit.

16 h 27

Le téléphone fit un véritable tintamarre, dans l'appartement.
Elle se dirigea vers l'appareil.
— Doucement, Monica. Attends une seconde.
Elle s'immobilisa et laissa les sonneries retentir les unes après
les autres. Le répondeur se mit en marche. Ils furent surpris de la
brièveté du message d'accueil.
— Salut, ici Håkan, laissez votre message.
Puis un petit bruit aigu et ensuite :
— Håkan ! Où es-tu ? Tu es là ? On est très inquiets pour toi. Il faut
que tu donnes de tes nouvelles. Tu avais rendez-vous chez Bengt,
aujourd'hui. Vous aviez convenu lundi, mercredi et vendredi. Tu ne
te souviens pas ? Et puis c'est d'accord pour Solhaga. Deux mois.
Tu le sais, maintenant. On pense à toi, Håkan. Je t'embrasse.
Le nom de Solhaga rappelait quelque chose à Hjalle.
— Sa mère, hein ?
— Sûrement.
Peu après, ils eurent confirmation que l'appel avait été passé
par Britt-Marie Poulantzas, au numéro 4 de Rosenstigen.
— Britt-Marie Poulantzas ? Mon Dieu…
— Qu'est-ce qu'il y a ? Qui c'est ?
Monica dévisageait Hjalle.
— Qui ? Ce nom ne te dit rien ?
— Non…
Au même instant, le portable de Hjalle se mit à sonner.
— Je t'expliquerai plus tard.
Josefin Hedblom avait réussi à s'enfuir et, quelques minutes plus
tard, ils étaient en route pour les jardins ouvriers d'Ärtholmen.

17 h 38

L'audition de Josefin Hedblom confirma leur hypothèse.
Håkan Söder semblait prêt à tout et l'idée qu'on était sur sa

piste ne devait sûrement pas contribuer à l'apaiser, se dit Hjalle. Ingvar Hedblom était arrivé sur les lieux et serrait dans ses bras sa femme, qu'on conduisait vers une voiture de police. Le crépuscule commençait à tomber et un froid humide de février s'insinuait peu à peu sous les vêtements.

Monica Gren se mit à grelotter.

– Qu'est-ce qu'on fait ?

– Je ne sais pas au juste. À vrai dire, on devrait reprendre la planque dans son appartement.

– Mais il est déjà sous surveillance.

– Exact. Alors, il faudrait peut-être aller parler à sa mère. Oui, c'est ça, je crois.

Une fois dans la voiture, ils restèrent sans rien dire. Les pavés de Köpenhamnsvägen faisaient un bruit sourd, sous les pneus. Quelques minutes plus tard, ils entraient dans le quartier résidentiel de Potatisåkern. Il y avait de la lumière aux fenêtres, ce qui donnait un aspect douillet et chaleureux à toutes ces maisons. Sur une entrée de garage était parquée une Range Rover avec une paire de skis sur le toit. On est prêts pour les sports d'hiver, par ici, eut-il le temps de penser. Juste après, il vit la Saab noire de Josefin Hedblom garée devant le numéro 4 de Rosenstigen. Ils passèrent devant le grand terrain entouré d'une palissade à l'ancienne et il appela la patrouille d'intervention.

Dix minutes plus tard, la maison était encerclée. Deux agents en gilet pare-balles se préparaient à enfoncer la porte lorsqu'ils s'aperçurent qu'elle était restée entrouverte. Pas de beaucoup, mais… Hjalle et Monica pénétrèrent dans la maison, encadrés par leurs collègues. Tout était calme et ils ne purent s'empêcher d'admirer le spectacle : un hall qui avait les dimensions d'un foyer de théâtre et regorgeait d'objets d'art, dont bon nombre sur des sujets à caractère érotique, à savoir des peintures de factures diverses et sur des supports variés, et des sculptures en bois ou en bronze. À gauche, ils virent une porte sur laquelle était apposée une plaque de cuivre portant la mention « Cabinet médical ». En face d'eux s'étendait une grande véranda donnant sur un vaste jardin au centre duquel un tronc d'arbre barrait la pelouse, telle une barricade. Une sculpture de marbre représentant un couple d'amants gisait sur le sol, en morceaux, devant l'entrée de la salle de séjour, située en contrebas, un peu plus loin à l'intérieur de la maison. Les murs étaient couverts de lambris, les meubles et rayonnages de bibliothèque en espèces nobles. Cette dernière semblait contenir des milliers de volumes. La salle à manger était située au fond et un magnifique lustre attirait le regard dès l'entrée.

L'endroit tout entier était plongé dans un silence de très mauvais augure, sentiment encore renforcé par le fait que la porte était restée entrouverte.

– Håkan ! Sors de là ! On est venus à ton secours. On sait que tu as besoin d'aide. Avance les mains en l'air et tout ira bien. Håkan ! répéta Hjalle d'une voix forte et distincte, mais non dépourvue de supplication.

Ils montèrent prudemment l'escalier du premier étage. Là les attendait un vaste espace couvert d'une étrange verrière de style *Jugend*, qui les impressionna un peu plus encore. Dans l'une des chambres, on avait renversé une table de chevet. Cela sentait la fumée et, dans un coin, ils trouvèrent un grand tas de vêtements noircis et mouillés. Manifestement, les détecteurs d'incendie avaient fonctionné comme il fallait et déclenché les extincteurs automatiques. Ils descendirent ensuite au sous-sol, agrémenté d'une piscine, d'un jacuzzi et d'un sauna. Le bar d'angle apportait une preuve supplémentaire que Britt-Marie Poulantzas n'était pas vraiment à plaindre.

Mais toujours pas la moindre trace de Håkan Söder.

Soudain, l'un des agents de la patrouille d'intervention s'écria :
– Lindström !

Ils se précipitèrent dans le hall. L'homme désignait du doigt le jardin. Le crépuscule était encore un peu plus avancé et une brume glaciale de février recouvrait les maisons et les espaces verts des alentours. Dans le ciel, la lune était presque pleine et c'est là, à une quinzaine de mètres au-dessus du sol, qu'ils le virent. Il était pendu à une corde, près de quelque chose qui ressemblait à une cabane installée dans la cime d'un vaste chêne étendant sa puissante ramure sur l'ensemble du jardin.

Ils restèrent muets de stupéfaction. Håkan Söder était accroché si haut qu'on distinguait à peine la corde et qu'on avait le sentiment qu'il planait, prêt à s'envoler dans l'espace.

Puis on entendit des pas pressés et une voix rompit le silence.
– Håkan ! Qu'est-ce que tu as encore fait ? La sculpture de Travani ! Håkan !

La voix se tut brusquement et la mère s'affaissa entre les bras de l'homme qui l'accompagnait. Elle se cachait le visage, comme si elle refusait de voir le spectacle de son fils dans cet arbre.

Monica Gren nota aussitôt la forte odeur de parfum.

En état de choc, la mère était maintenant assise sur l'un des canapés du hall. L'homme qui était arrivé avec elle la tenait dans ses bras et s'efforçait de la réconforter de son mieux. Devant eux, Hjalle et Monica ne savaient que faire. Deux ambulanciers étaient arrivés et, avec l'aide de deux agents de police, ils étaient en train de grimper dans le chêne pour trancher la corde retenant Håkan Söder. Hjalle ordonna à la voiture de patrouille de s'éloigner et fit ensuite un tour d'horizon. La maison était plongée dans un calme étrange et on entendait seulement les sanglots de la mère.

Soudain, elle bondit sur ses pieds et se mit à crier à Hjalle, avec une expression de fureur sur le visage :

– Qui êtes-vous, d'ailleurs ?

– Hjalmar Lindström, police criminelle départementale. Et voici ma collègue, Monica Gren.

– Qu'est-ce que vous faites ici ? Je ne comprends pas. Sortez de ma maison ! s'écria-t-elle, avec l'air d'être sur le point de se jeter sur lui.

– Je regrette ce qui vient de se passer…

– Vous regrettez ? Alors que c'est vous qui êtes responsable de tout ceci. C'est vous qui l'avez acculé à la mort !

Havemark se leva du canapé pour tenter de la calmer.

– Doucement, Britt-Marie…

– Doucement ? Mais je ne comprends pas ce qu'ils font là, Bengt. Pourquoi êtes-vous venus, hein ?

Hjalle regarda Monica, comme s'il ne savait que répondre à cette question. Puis il dévisagea la femme au désespoir qui se trouvait devant lui. Il sentait la fatigue s'emparer de lui, mais aussi quelque chose d'autre : la tristesse devant le sort de ce jeune homme, ainsi que devant le constat d'être arrivés trop tard. Il était incapable de prononcer un mot et c'est Monica qui prit la parole pour tenter de faire comprendre à cette mère, avec tous les ménagements nécessaires, la raison de leur présence.

– Nous avions des raisons de soupçonner que votre fils était impliqué dans certains... événements regrettables qui se sont produits ces derniers temps. Il s'agit d'agressions sur des personnes de sexe féminin.

La mère eut d'abord l'air de ne pas comprendre. Puis, comme si la vérité se faisait jour en elle avec une clarté aveuglante, elle éclata en un mélange assourdissant de cris et de pleurs. Finalement, elle s'effondra entre les bras de Havemark. Apparemment au fait de la situation depuis longtemps, ce dernier entraîna doucement Britt-Marie Poulantzas en direction de la salle de séjour.

– Mon Dieu, Bengt, je le savais ! Mon Dieu, Bengt, je le savais. Je m'en doutais ! entendit-on la mère s'écrier, avant que ses propos ne soient couverts par ses sanglots.

Hjalle sortit dans le jardin et inspira l'air froid et humide à pleins poumons, pour tenter de retrouver un certain calme. La tension qu'il ressentait depuis quelques jours commençait à se relâcher. Il ferma les yeux et respira profondément. Quand il les ouvrit à nouveau, Monica était debout près de lui. Un merle qui semblait s'être trompé de saison se mit à siffler. Hjalle eut envie de la prendre dans ses bras mais il se retint.

Ils restèrent là sans dire un mot, à observer les autres détacher péniblement Håkan Söder de son arbre.

17 février au soir

Hjalle avait invité Monica à dîner au Retro. Elle avait ôté son pansement et, à part la bosse sur le côté de sa tête, elle avait retrouvé son aspect habituel. L'affaire Håkan Söder les avait beaucoup marqués et il ne s'agissait pas vraiment pour eux de « fêter » l'événement, seulement de passer un bon moment ensemble, réfléchir un peu à ce qui s'était passé et à la part qui leur revenait. Hjalle avait toujours des remords à propos d'Anders Hjulin, dit « la Puce ».

– Il ne faut pas penser à ça.

– Il ne faut pas ? Je ne peux pas m'en empêcher. Il n'y a pas de limite à la bêtise humaine, apparemment. De temps en temps, je commets les pires idioties sans le faire exprès.

– C'était compréhensible. Tous les indices le désignaient. N'oublie pas ça. Tous.

Il la dévisagea. La grosseur de sa tempe avait les couleurs du drapeau suédois : bleu et jaune, et c'était drôle à voir.

– Du café ?

– Tu ne veux pas venir le prendre chez moi ?

C'est maintenant que la maison s'effondre, pensa-t-il en un éclair. Le moment est venu ?

– Chez toi ?

– J'habite tout près d'ici, tu sais.

Il la regarda, comme pour savoir si quelque chose se cachait sous – ou derrière – le mot café.

– Bon, d'accord, dit-il, bien conscient de ne plus pouvoir faire machine arrière.

Il la désirait. Et elle allait être à lui.

L'appartement était dans le désordre le plus total. Des piles de livres, des meubles placés n'importe comment et un gros matelas à même le sol.

– Ne fais pas attention, je n'ai pas encore eu le temps de m'installer, dit-elle en passant dans la cuisine.

Il prit place sur une chaise, près du matelas.

– Monica.

– Oui…

– Viens !

– Qu'est-ce qu'il y a ?

– Viens, c'est tout…

Elle le regarda, l'air étonné, posa les tasses de café sur une table déjà bien encombrée, près de la fenêtre donnant sur la place, et s'approcha de lui.

– Viens, répéta-t-il en la prenant par la main.

Elle s'assit sur ses genoux. Il la serra très fort, humant son parfum et lui caressant le dos. Elle inclina la tête vers la sienne et, en l'embrassant pour la première fois, il eut l'impression que c'était une grande nouveauté dans sa vie. La fraîcheur de ses lèvres et le contact de sa langue vive et mutine lui firent oublier le reste. Ils se laissèrent tomber sur le matelas. En un instant, ils eurent ôté leurs vêtements et leurs corps s'unirent de la façon la plus naturelle au monde, comme s'ils n'attendaient que cela depuis longtemps. Il caressa son sexe, elle saisit le sien et ils se laissèrent aller dans quelque chose de grand et de doux. Peu après, elle eut un orgasme. Il avait appuyé la bouche de Monica contre son oreille et put donc percevoir ce qui se passait au fond d'elle, tous ces bruits ténus et merveilleusement fragiles. Un peu plus tard, ce fut son tour de se soulager en longs soubresauts de bonheur.

Une fois la vague retombée, ils restèrent allongés, un peu gênés de ce qui venait de se passer, à la manière de deux adolescents venant de découvrir, ensemble, un grand secret. Il caressa sa bosse tandis que l'image de ses enfants et d'Ann-Mari s'installait en lui.

Elle remarqua aussitôt qu'il s'éloignait d'elle.

– Qu'est-ce qu'il y a ?

– Rien. Je suis simplement… fatigué. Ces derniers jours ont été, comment dire, un peu durs, non ?

Silence. Elle lui caressa la poitrine et l'embrassa sur l'oreille.

– Je suis d'accord. Tu devais me parler de sa mère.

– C'est vrai. J'ai oublié.

Elle s'allongea sur le dos et alluma une cigarette.

– Britt-Marie Poulantzas s'appelait jadis Söder et s'est fait connaître sous ce nom. C'était l'une des sexologues les plus réputées de Scandinavie, très axée sur la psychanalyse. Elle a présidé l'Association des Sexologues Scandinaves, pendant un certain nombre d'années. Pour bien des gens, elle a été une idole et l'est encore.

– Et pour toi ?

– Peut-être. À la fin des années 60, on parlait beaucoup d'elle et de son mari, en tout cas. On leur rendait hommage. Mais ils étaient aussi très critiqués car ils étaient connus pour militer en faveur de la liberté sexuelle et ont réussi à faire partager assez largement cette idée. Ce qui a suscité la réprobation, c'est leur incitation à la masturbation infantile.

– Quoi ?

– L'idée était que les instituteurs apprennent aux enfants les pratiques onanistes et qu'on mette cela au programme de l'enseignement dispensé au tout début de la scolarité. Afin de libérer les individus de l'angoisse et du sentiment de culpabilité qu'entraîne une vie sexuelle inhibée. Ils ont été passablement discrédités, à la suite de cela, et ont fait l'objet d'une véritable persécution, surtout de la part de la presse bourgeoise. On les a plus ou moins contraints à l'exil et ils se sont réfugiés au Danemark. Là-bas, leurs idées ont été accueillies beaucoup plus favorablement.

– Qu'est-il arrivé au père ?

– Je ne sais pas au juste. Il s'est suicidé au milieu des années 70. Je crois qu'ils vivaient à Copenhague, alors, mais je n'en suis pas sûr. La mère s'est remariée. Plusieurs fois. Il me semble que le nom de Poulantzas est celui d'un chercheur grec de Roskilde, sexologue de renom lui aussi et auteur de divers ouvrages.

Il se tut. La braise de la cigarette faisait l'effet d'une mouche de feu, dans le noir. Elle lui caressa les cheveux, tandis qu'il sentait l'angoisse – celle de l'infidélité, qu'il n'avait encore jamais éprouvée – s'emparer à nouveau de lui.

– Quelle est la pire chose que tu aies vécue, dans ce métier ? Au bout du compte ?

Il lut en elle la confiance qu'elle avait en lui et sentit la chaleur de son corps et de tout son être.

– Le pire ? C'est difficile à dire, répondit-il pensivement. Je suppose que c'est ce qui m'est arrivé il y a une dizaine d'années. Tu ne me croiras pas. J'ai enquêté sur une trentaine de meurtres, quelques viols et des centaines d'affaires de coups et blessures. Tout ce qu'on imagine de plus dégueulasse, quoi, et pourtant c'est ce qui s'est passé un soir de nouvel an, il y a longtemps de ça, qui emporte la palme.

Il se racla la gorge pour mieux raconter.

– Une tempête de neige avait créé le chaos le plus total dans la ville. Tout était bloqué. Pour gagner Falsterbo, il fallait des chenillettes. C'est alors qu'on a reçu un appel assez confus en provenance de Klagshamn. À propos d'un chien et d'un enfant. Les pompiers étaient appelés, eux aussi. Au début, il était presque impossible d'avancer. Une fois sur place, on a découvert un petit labrador absolument paniqué, sur une plaque de glace, au milieu du port de plaisance. Sur le quai, il y avait son maître et une petite fille de six ans. Les pompiers ne pouvaient rien faire, à cause de la tempête, et nous non plus, bien entendu. Tout ce qu'on entendait, à part le hurlement du vent, c'étaient les aboiements de désespoir du chien. Et les larmes de la petite fille. On était là, totalement impuissants, à regarder le chien aller à sa perte. Ces aboiements, tu sais, je les ai portés en moi pendant des semaines. Ainsi que les pleurs de la petite fille. On peut trouver ça mélodramatique, mais bon… C'est en fait ce que j'ai connu de pire. Crois-moi ou pas. La détresse de ce chien, quand il a compris, et les larmes de la petite fille.

Elle lui caressa le ventre et l'embrassa de nouveau, comme si cette brève histoire avait encore renforcé ses sentiments pour lui.

Hjalle, lui, était de plus en plus angoissé, au fil des minutes.

– Qu'est-ce qu'il y a ?

– Il faut que je rentre à la maison.

– Quand est-ce qu'on se revoit, comme ça, rien que toi et moi ?

Il la regarda et l'embrassa sur la bouche.

– Tu es quelqu'un de bien, Monica. Et je suis marié…

– Je sais. Tu es quelqu'un de bien, toi aussi. Mais je ne suis pas mariée, moi, et puis on peut divorcer. Ça arrive, tu sais. Je l'ai entendu dire…

À son retour à la maison, tout était calme. Les garçons étaient endormis, ainsi qu'Ann-Mari. Il prit rapidement une douche et jeta son linge sale dans le panier à lessive. Ann-Mari se réveilla au moment où il se glissait entre les draps.

– Quelle heure est-il ?

– Une heure et demie.

– Ça a été long.

– Il a fallu faire le bilan. Et après, on est allés prendre une bière, avec quelques copains.

– C'est affreux, cette histoire. J'ai lu ça dans le journal, marmonna-t-elle, à moitié endormie.

– C'est sûr.

– Les garçons t'ont réclamé. C'est la Coupe, ce week-end, tu ne l'ignores pas.

– La Coupe ?

– La Coupe de Trelleborg.

– Ah, c'est vrai, j'avais oublié, dit-il en la regardant.

Elle se rendormit. Il sortit alors un papier qu'il avait prélevé sur le dossier de l'enquête. Un jour, il le donnerait à Alisa.

Jusque-là, il le garderait pour lui.

« *8 avril. Je veux vivre. Vivre totalement, mener une existence pleine et riche. Comment fait-on pour vivre ainsi, en toute honnêteté ? Comment fait-on pour fendre la foule la tête haute, sans avoir honte de quoi que ce soit ? Aide-moi à être forte, Allah. Je veux vivre de cette façon-là ! Il faut que je sois comme ça ! Je me sens monstrueusement forte. Je veux vivre de cette façon-là ! Honnête envers moi-même et envers toi, c'est seulement ainsi que les êtres humains peuvent être heureux et se moquer de tous les salauds ! N'est-ce pas ? Allah, tu es là ? Tu me vois ?* »

L'instant d'après, il dormait.

Achevé d'imprimer en décembre 2011
sur les presses de France Quercy à Mercuès (France)

Imprimé sur Munken Print White 80 g
Papier issu de forêts gérées durablement.

Dépôt légal : première édition, janvier 2012
N° d'impression : 12019/